中华人民共和国法律释义丛书

全国人民代表大会常务委员会法制工作委员会　编

中华人民共和国
企业国有资产法释义

主　编：安　建（全国人大常委会法制工作委员会副主任）

副主编：郑淑娜（全国人大常委会法制工作委员会研究室主任）

何永坚（全国人大常委会法制工作委员会经济法室巡视员）

撰稿人：安　建　郑淑娜　何永坚　杨合庆　赵　雷　王　翔　王洪宇

法律出版社

图书在版编目(CIP)数据

中华人民共和国企业国有资产法释义 / 安建主编
北京：法律出版社，2008.11(2018.11 重印)
(中华人民共和国法律释义)
ISBN 978-7-5036-8976-5

Ⅰ.①中… Ⅱ.①安… Ⅲ.①国有企业-国有资产-经济法-法律解释-中国 Ⅳ.①D922.291.05

中国版本图书馆 CIP 数据核字(2008)第 170463 号

中华人民共和国企业国有资产法释义
ZHONGHUA RENMIN GONGHEGUO QIYE GUOYOU ZICHANFA SHIYI

安 建 主编

责任编辑 麦 锐
装帧设计 李 瞻

出版 法律出版社
总发行 中国法律图书有限公司
经销 新华书店
印刷 北京玺诚印务有限公司
责任印制 吕亚莉

编辑统筹 法规出版分社
开本 850 毫米×1168 毫米 1/32
印张 10.375
字数 220 千
版本 2008 年 11 月第 1 版
印次 2018 年 11 月第 3 次印刷

法律出版社/北京市丰台区莲花池西里 7 号(100073)
网址/www.lawpress.com.cn
投稿邮箱/info@lawpress.com.cn
举报维权邮箱/jbwq@lawpress.com.cn
销售热线/010-83938336
咨询电话/010-63939796

中国法律图书有限公司/北京市丰台区莲花池西里 7 号(100073)
全国各地中法图分、子公司销售电话：
统一销售客服/400-660-6393
第一法律书店/010-83938334/8335 西安分公司/029-85330678 重庆分公司/023-67453036
上海分公司/021-62071639/1636 深圳分公司/0755-83072995

书号:ISBN 978-7-5036-8976-5 **定价**:46.00 元
(如有缺页或倒装,中国法律图书有限公司负责退换)

总　序

人类文明的历史上，还没有哪一个时代像中国的改革开放40年一样，在历史长河中掀起如此巨大的浪花——它不仅深刻改变了一个国家的面貌与精神气质、使数亿人摆脱贫困，还极大地改变了世界格局。

1978，在那一年的年底，中共中央一次全体会议——十一届三中全会扭转了中国的前进方向，开辟了一个时代。回首过去，我们发现，一些观念从那时开始在中国出现，一些声音从那时开始逐渐响起，一些人物开始登上历史舞台。从这一年开始，随着“加强社会主义民主，健全社会主义法制”历史性任务的提出，“法制”两个字进入了人们的视野；政法机关开始恢复重建；法律院系开始蓬勃发展。一部部法律从庙堂走进了人们的生活，一次次裁决推动着国家前进的脚步。从“有法可依、有法必依、执法必严、违法必究”到“科学立法、严格执法、公正司法、全民守法”；从“法制”到“法治”；从法治观念的形成到“依法治国，建设社会主义法治国家”写进宪法，再到“法治国家、法治政府、法治社会一体建设”，人们对法治的认识步步深入，中国的改革不断向前推进，结出丰硕的果实。在中国共产党的带领下，这个励精图治的古老国度，再一次创造了改革的奇迹。

40 年发生了无数故事,40 年产生了许多事物。为了纪念这难忘的 40 年,本社组织编辑出版了一批"纪念改革开放 40 周年"主题图书。这些图书,将 40 年来颁布的重要法律及其释义甄选汇集,将法学领域有代表性的学术论文萃取精编,把有关政法机关的重建、法律院系的重生与发展进行展现,将一批被时代改变命运的人物再次唤起。我们希望从法律与法律人的视角,重新审视过去的 40 年,认真体会这不平凡的 40 年。

如江河东下,逝者如斯。岁月总会过去,人事总有代谢,但一个不平凡的时代留下的深刻痕迹,永远不会磨灭。"不忘初心,牢记使命",习近平总书记在党的十九大报告中向全党发出的号召,使我们有理由期待,下一个 40 年,中国将更加惊艳!

法律出版社编辑委员会

2018 年 10 月

出 版 前 言

《中华人民共和国法律释义丛书》是由全国人大常委会法制工作委员会组织编辑的一套系列丛书。

该套丛书由一系列法律释义组成。邀请有关专家、学者和部分参与立法的同志编著。该丛书坚持以准确地反映立法宗旨和法律条款内容为最基本要求,在每部法律释义中努力做到观点的权威性和内容解释的准确性。

我们相信,该套丛书的陆续出版,将会给广大读者进一步学好法律提供有益的帮助。

重 印 说 明

本次重印，是为改革开放40周年制作的特别纪念版，为了保持内容原貌，未对正文和附录作实质修改。个别法条内容有修订或修正的，以脚注形式作了标注。特此说明。

2018年10月

前 言

十一届全国人大常委会第五次会议审议通过了《中华人民共和国企业国有资产法》，自2009年5月1日起施行。企业国有资产法的颁布施行，对于维护国家基本经济制度，巩固和发展国有经济，加强对国有资产的保护，发挥国有经济在国民经济中的主导作用，促进社会主义市场经济发展，具有重要意义。

为配合企业国有资产法的学习、宣传，帮助读者理解这部重要法律各条规定的内容，全国人大常委会法制工作委员会参与企业国有资产法立法工作的同志编写了本书，供学习参考。

目　录

第一部分　绪　论

企业国有资产法的立法背景、意义、制定过程和主要内容 ……………………………… (1)

第二部分　释　义

第一章　总则 ……………………………… (29)
第一条　【立法目的】 ……………………………… (29)
第二条　【企业国有资产定义及本法的适用范围】 ……………………………… (30)
第三条　【国有资产权属】 ……………………………… (33)
第四条　【国有资产出资人代表】 ……………………………… (34)
第五条　【国家出资企业】 ……………………………… (35)
第六条　【政企分开、政资分开原则】 ……………………………… (37)
第七条　【国有经济的控制力和主导作用】 …… (39)
第八条　【国有资产监管体制】 ……………………………… (41)
第九条　【国有资产基础管理制度】 ……………………………… (42)
第十条　【国有资产保护】 ……………………………… (44)
第二章　履行出资人职责的机构 ……………………………… (45)
第十一条　【履行出资人职责的机构】 ……………………………… (45)

第十二条 【履行出资人职责的机构的基本职责】…………………… (47)
第十三条 【股东代表】 ………………………… (50)
第十四条 【履行出资人职责的原则】 ………… (51)
第十五条 【履行出资人职责的机构对政府的义务】…………………… (53)
第三章 国家出资企业 ………………………… (56)
第十六条 【国家出资企业的权利】 ………… (56)
第十七条 【国家出资企业的义务】 ………… (58)
第十八条 【财务管理】 ………………………… (61)
第十九条 【监事会监督】 …………………… (63)
第二十条 【职工民主管理】 ………………… (66)
第二十一条 【对所出资企业的监管】 ……… (67)
第四章 国家出资企业管理者的选择与考核 ……… (69)
第二十二条 【选择企业管理者】 …………… (69)
第二十三条 【企业管理者的任职条件】 …… (71)
第二十四条 【企业管理者的任职程序】 …… (74)
第二十五条 【企业管理者兼职禁止】 ……… (76)
第二十六条 【企业管理者的义务】 ………… (78)
第二十七条 【企业管理者的考核、奖惩和薪酬】…………………… (79)
第二十八条 【企业管理者经济责任审计】 …… (81)
第二十九条 【政府直接任免企业管理者】 …… (82)
第五章 关系国有资产出资人权益的重大事项 …… (84)
第一节 一般规定 ………………………… (84)
第三十条 【重大事项的范围】 ……………… (84)
第三十一条 【国有独资企业、公司重大事项的

决定之一】 …………………………（86）
第三十二条 【国有独资企业、公司重大事项的决定之二】 …………………………（87）
第三十三条 【国有资本控股、参股公司重大事项的决定】…………………………（88）
第三十四条 【应由政府批准的重大事项】……（90）
第三十五条 【政府其他部门的审批】…………（91）
第三十六条 【风险防范】 ………………………（92）
第三十七条 【听取职工意见和建议】…………（93）
第三十八条 【所出资企业的重大事项】………（94）
第二节 企业改制 ………………………………（95）
第三十九条 【企业改制的定义】………………（95）
第四十条 【企业改制的决定】…………………（96）
第四十一条 【改制方案】 ………………………（97）
第四十二条 【资产清查、评估和作价】…………（99）
第三节 与关联方的交易 ………………………（101）
第四十三条 【关联方不得利用与企业之间的交易谋取不正当利益】……………（101）
第四十四条 【禁止的关联方交易】 ……………（102）
第四十五条 【国有独资企业、公司与其关联方交易的决定】…………………（103）
第四十六条 【国有资本控股公司与其关联方交易的决定】…………………………（104）
第四节 资产评估 ………………………………（105）
第四十七条 【应当评估的情形】 ………………（105）
第四十八条 【委托第三方评估】 ………………（106）
第四十九条 【如实提供评估资料】 ……………（107）

第五十条 【遵守评估准则】 …………………… (108)
第五节 国有资产转让 …………………………… (109)
第五十一条 【国有资产转让的定义】 ………… (109)
第五十二条 【国有资产转让的宗旨】 ………… (110)
第五十三条 【国有资产转让的决定】 ………… (111)
第五十四条 【国有资产转让的原则和方式】………………………………… (112)
第五十五条 【国有资产转让价格】 …………… (114)
第五十六条 【国有资产向管理层转让】 ……… (115)
第五十七条 【国有资产向境外投资者转让】………………………………… (116)
第六章 国有资本经营预算 …………………………… (117)
第五十八条 【国有资本经营预算制度】 ……… (117)
第五十九条 【国有资本经营预算的收入和支出】………………………………… (118)
第六十条 【国有资本经营预算的编制原则和批准】………………………………… (121)
第六十一条 【国有资本经营预算的编制】 …… (122)
第六十二条 【国务院规定具体办法和实施步骤】………………………………… (123)
第七章 国有资产监督 ……………………………… (125)
第六十三条 【各级人大常委会的监督】 ……… (125)
第六十四条 【政府的监督】 …………………… (127)
第六十五条 【审计机关的监督】 ……………… (128)
第六十六条 【社会监督】 ……………………… (130)
第六十七条 【委托中介机构进行审计监督】………………………………… (131)

第八章　法律责任 ……………………………… (134)
第六十八条 【履行出资人职责的机构的法律责任】 ……………………………… (134)
第六十九条 【履行出资人职责的机构的工作人员的法律责任】 ……………………… (136)
第七十条 【股东代表的法律责任】 …………… (137)
第七十一条 【企业管理者的法律责任】 ……… (138)
第七十二条 【交易无效】 ……………………… (142)
第七十三条 【企业管理者的市场禁入】 ……… (143)
第七十四条 【中介机构的法律责任】 ………… (144)
第七十五条 【刑事责任】 ……………………… (146)
第九章　附则 ………………………………… (150)
第七十六条 【金融企业国有资产的适用】 …… (150)
第七十七条 【施行日期】 ……………………… (150)

第三部分　附　　录

一、企业国有资产法及相关法律、行政法规 ………… (152)
中华人民共和国企业国有资产法 ………………… (152)
中华人民共和国物权法(节录) ………………… (168)
中华人民共和国公司法 ………………………… (172)
企业国有资产监督管理暂行条例 ………………… (217)
国务院关于试行国有资本经营预算的意见 …… (226)
二、相关说明、汇报和报告 ……………………… (231)
关于《中华人民共和国国有资产法(草案)》的说明 ……………………………………… (231)
全国人大法律委员会关于《中华人民共和国国有

资产法(草案)》修改情况的汇报 …………… (239)
全国人民代表大会法律委员会关于《中华人民共和国企业国有资产法(草案)》审议结果的报告 ………………………… (243)
全国人民代表大会法律委员会关于《中华人民共和国企业国有资产法(草案三次审议稿)》修改意见的报告 ………………………… (246)
三、相关立法资料 ……………………………… (249)
十届全国人大常委会第三十一次会议分组审议国有资产法(草案)的意见 ……………… (249)
十一届全国人大常委会第三次会议审议企业国有资产法(草案二次审议稿)的意见 ……… (254)
各地方和中央有关部门、企业对国有资产法(草案)的意见 ………………………… (262)
部分中央和地方国有企业对国有资产法(草案)的意见 ………………………… (278)
部分专家对国有资产法(草案)的意见 ………… (284)
国务院国资委和部分地方国资委对国有资产法(草案)的意见 ……………………… (288)
国有资产法(草案)云南调研情况简报 ………… (295)
国有资产法(草案)四川调研情况简报 ………… (301)
国有资产法(草案)上海、广东调研情况简报…… (307)
企业国有资产法(草案)吉林调研情况简报 …… (313)

第一部分 绪 论

企业国有资产法的立法背景、意义、制定过程和主要内容

安 建

《中华人民共和国企业国有资产法》于2008年10月28日由第十一届全国人大常委会第五次会议通过，同日国家主席胡锦涛签署主席令予以公布，将从2009年5月1日起施行。

企业国有资产法是一部受到各方面广泛关注的重要法律。它的公布施行，对于坚持我国的基本经济制度，维护国有资产权益，促进国有经济的不断壮大和社会主义市场经济的发展，具有十分重要的意义。

一、制定国有资产法的背景和意义

新中国成立以来特别是改革开放以来，在党的领导下，经

过全国人民的不懈奋斗，经济建设取得了举世瞩目的巨大成就，我国国有经济日益发展壮大，已积累起数量巨大的国有资产。据国务院国资委统计，到2007年年末，全国仅国有及国有控股的非金融类企业的总资产和净资产就已分别达到35.48万亿元和14.8万亿元。这是全国人民的共同财富，是巩固社会主义制度，实现强国富民，不断满足人民群众日益增长的物质文化需求的物质基础。

在计划经济时期，国家主要通过行政命令和下达指令性计划等行政手段来管理、运用国有资产，没有制定国有资产法的现实要求。在改革开放、实行社会主义市场经济的新形势下，仍然主要依靠行政手段来管理、运用国有资产的做法，显然已经不能适应需要。20世纪90年代初，全国人大财经委员会等有关部门和一些全国人大代表提出，应当抓紧研究制定国有资产法，将实践证明是正确的、成功的有关国有资产管理的主要措施、办法制度化、法律化，依照法律的规定把国有资产管理好、运用好、保护好，把国有资产权益实现好、维护好。这是改革开放、实行社会主义市场经济的大背景对制定国有资产法的必然要求。

在建立和完善社会主义市场经济体制的改革进程中，我国国有资产管理体制的改革、国有经济布局和结构的战略性调整，以及国有企业的改革，都取得了明显成效，国有经济的总体实力进一步增强，在国民经济中继续发挥着主导作用。但与此同时，在有些地方、有些国有企业，也出现了将国有资产低价折股、低价出售，甚至无偿分给个人，或者以其他方式和手段侵害国有资产权益的现象，造成国有资产流失，引起人民群众的强烈不满和社会各方面的广泛关注。要求制定专门的法律，以健全制度，堵塞漏洞，切实维护国有资产权益，保障国有资产安全，促进国有经济巩固和发展的呼声更高。十届全国人大期间，每年都有许多全国人大代表提出尽快制定国有资产法的议案、建议，成为这一届全国人大代表提出议案、建议最多的立法项目之一。这是针对改革中出现的新情况、新问题，为保证国有资产管理体制和国有企业改革顺利进行，对制定国有资产法的迫切要求。

2007 年 3 月，十届全国人大五次会议通过了《中华人民共和国物权法》。物权法确立了中国特色社会主义物权制度，坚持对国家、集体和私人的物权实行平等保护原则，并对国有财产的范围、国家所有权的行使和加强对国有财产的保护作了明确规定。在物权法制定过程中，有不少意见要求同时抓紧制定国有资产法，以落实物权法的有关规定，切实保护国有资产权益；在物权法出台后，这一要求更加迫切。尽快制定国有资产法已成为一项紧迫的任务。

——制定企业国有资产法，是坚持我国基本经济制度，巩固和发展国有经济，增强我国综合国力的需要。我国实行以公有制为主体，多种所有制经济共同发展的基本经济制度。包括国有经济在内的公有制经济，是我国社会主义制度的经济基础。依照宪法关于“国有经济，即社会主义全民所有制经济，是国民经济中的主导力量。国家保障国有经济的巩固和发展”的规定，制定专门的企业国有资产法，充分发挥法律的规范和保障作用，维护国有资产权益，保证国有资产的保值增值，促进国有经济不断发展壮大，进而引导、带动整个国民经济又好又快发展，这对于增强国家的经济实力、国防实力和民族凝聚力，不断提高人民生活水平，实现共同富裕，巩固社会主义制度，具有重要意义。

——制定企业国有资产法，是坚持改革方向，巩固改革成果，保障改革顺利进行的需要。改革开放是我国社会主义制度的自我完善和发展，是强国富民的必由之路。通过制定企业国有资产法，一方面，把国有资产管理体制和国有企业改革实践中的成功做法制度化、法律化，巩固改革成果，推动改革进程；另一方面，针对少数人假"改革"之名，损公肥私，挖国有经济墙角，侵害国有资产权益，败坏改革名声的恶劣行径，及时建立起有效的法律防范和制裁措施，以法律的威慑力、强制力，保障国有资产的安全，维护国家和全体人民的共同利益，保障改革的顺利进行。

——制定企业国有资产法，是贯彻依法治国基本方略，完善中国特色社会主义法律体系的需要。依法治国是党领导人民治理国家的基本方略。党的十七大提出了完善中国特色社会主义法律体系的要求，十一届全国人大一次会议提出了"确保到2010年形成中国特色社会主义法律体系"的目标。在我们这样一个国有资产在社会总资产中占有很大比重的社会主义国家，实行依法治国，必然要求制定一部有关企业国有资产的专门法律，确立与社会主义市场经济发展要求相适应的国有资产法律制度，依照法律的规定管理好、运用好、保护好全国人民共同创造的数额巨大的企业国有资产，为国家谋发展，为人民谋幸福。企业国有资产法是中国特色社会主义法律体系中起支架作用的重要法律。制定企业国有资产法，是贯彻依法治国基本方略、建设中国特色社会主义法律体系的一项重要任务。企业国有资产法的制定，是我国社会主义法律体系趋于完善的又一重要标志。

二、企业国有资产法的制定过程和立法总体思路

1993 年，八届全国人大常委会将制定国有资产法列入本届立法规划，由全国人大财经委员会组织起草。九届全国人大常委会继续将制定国有资产法列入立法规划。这两届全国人大期间，有关方面为制定国有资产法做了大量的前期调研工作，为制定国有资产法打下了基础。

十届全国人大常委会继续将制定国有资产法列入本届立法规划。经过多年来的改革探索，我国国有资产监督管理体制的改革，国有经济布局和结构的战略调整，国有企业的改革、改制、改组，都已取得明显成效，进一步深化改革的思路和目标也已清晰，党的十六大报告和十六届三中全会决定对此作了明确的阐述，这为国有资产立法提供了最重要的条件。国务院和地方人民政府及其国有资产监督管理机构以及其他有关部门、机构，总结国有资产管理体制和国有企业改革的成功经验，在建立健全企业国有资产出资人代表制度，加强对企业国有资产的管理，维护国有资产权益，促进国有资产保值增值等方面，逐渐形成了一批制度性规范。国务院于 2003 年发

布了《企业国有资产监督管理暂行条例》,国务院国资委5年多来先后发布了100多件相关的规章和规范性文件,国务院其他有关部门也制定了一批相关的规章和规范性文件,这些都为制定企业国有资产法奠定了实践基础,出台企业国有资产法的条件已趋成熟。

全国人大常委会和国务院都高度重视国有资产法的制定工作。吴邦国委员长2007年3月11日在向十届全国人大五次会议所作的全国人大常委会工作报告中,明确提出将审议国有资产法草案列入全国人大常委会当年的立法计划。2007年4月,十届全国人大常委会委员长会议根据十届全国人大五次会议批准的全国人大常委会工作报告,决定对十届全国人大常委会2007年度立法计划作出调整,增加列入国有资产法草案,安排在当年12月的常委会会议初次审议。按照这一要求,有关方面进一步加快了草案的起草工作。

在草案起草过程中,吴邦国委员长和全国人大常委会其他领导同志多次听取汇报,对制定这部法律提出明确要求。国务院领导同志要求有关部门积极配合做好工作,保证国有资产法的制定按计划顺利进行。按照常委会立法规划和年度立法计划的要求,全国人大财经委员会会同全国人大常委会法制工作委员会和国务院有关部门继续广泛调查研究,反复论证,完成了国有资产法(草案)起草工作。2007年12月举行的十届全国人大常委会第三十一次会议,对全国人大财经委提出的草案进行了初次审议。会后,全国人大常委会法工委将草案印发各地方和中央有关部门、部分企业及研究机构征求意见;全国人大法律委员会、全国人大常委会法工委通过召开座谈会,到一些地方和企业调研等多种方式,进一步了解情况,听取意见;根据全国人大常委会组成人员的审议意见和各方面的意见,对草案进行了多次修改,形成了草案修改稿。2008 年 6 月、10 月召开的十一届全国人大常委会第三次、第五次会议分别对草案进行了第二次、第三次审议,法律委员会根据常委会组成人员的审议意见对草案又作了进一步修改。在 2008 年 10 月 28 日举行的十一届全国人大常委会第五次会议的全体会议上,以 150 票赞成,4 票弃权的表决结果,通过了《中华人民共和国企业国有资产法》。

在国有资产法十多年来的研究起草过程中,各方面对涉及企业国有资产的管理、监督、经营、保护等多方面的问题提出了许多意见和建议。通过对这些意见和建议进行认真梳理和反复研究认为,制定国有资产法,必须贯彻党的十六大、十七大精神,依据宪法,坚持社会主义基本经济制度,保障国有经济的巩固和发展,促进企业国有资产的保值增值。在这个总原则指导下,找准国有资产立法的目标定位,确定立法重点。要坚持从实际出发,针对社会普遍关注、迫切需要通过立法解决、实践经验也比较成熟的主要问题,作出相应的法律规定。经过广泛征求意见,各方面普遍认为:目前,国有资产管理中需要专门立法加以规范的突出问题,主要是如何维护好企业国有资产权益,保障国有资产安全,防止国有资产流失,促进国有经济的巩固和发展。针对这方面的问题建立起比较完善、有效的法律制度,是迫切需要的。国有资产立法应当以此为重点，确立相关的法律制度。对改革过程中正在探索、实践经验尚不成熟的一些问题，本法可暂不规定或者只作原则规定；对应由国家宏观政策调整的国有经济战略布局和结构调整等问题，本法可以不作规定；对公司法等法律、行政法规中已有明确规定的保障企业经营自主权、建立现代企业制度、完善法人治理结构等问题，应依照有关法律、行政法规的规定执行，本法可只作衔接性的原则规定。各方面认为，上述立法总体思路重点突出、针对性强、切合实际，普遍表示赞同。

三、企业国有资产法的主要内容

企业国有资产法共9章77条，主要规定了以下内容：

（一）关于本法的适用范围

国有资产一般可划分为由国家对企业的出资所形成的权益，即企业国有资产或称经营性国有资产；由国家机关、国有事业单位等组织使用管理的行政事业性国有资产；以及属于国家所有的土地、矿藏、森林、水流等资源性国有资产。在草案起草过程中，对上述各类国有资产是否都应纳入国有资产法的调整范围，有不同意见。经汇集各方面的意见，反复研究论证，最终确定将本法适用的国有资产范围限定为企业国有资产（经营性国有资产），即国家对企业的投资所形成的权益。主要考虑是：一是从可行性看，上述三类国有资产在功能和监管方式等方面有较大不同：企业国有资产作为投资性资产，要求通过经营活动取得投资回报、实现保值增值，需要有出资人代表行使出资人权利、维护出资人利益。行政事业性国有资产作为非投资性资产，由国家机关和事业单位占有使用，主要是要求占有使用单位按照国家有关规定节约和合理使用，避免损失和浪费，通常并无保值增值的要求，也不发生需设立出资人代表的问题。资源性国有资产即国家所有的自然资源，作为国家所有的不动产，应直接适用物权法关于不动产物权的规定以及有关自然资源保护和合理开发利用的法律规定；如果国家以土地使用权或者探矿权、采矿权、海域使用权等自然资源的使用权作价出资的，因该项出资而形成的经营性国有资产，适用企业国有资产的有关规定。如果将上述各类在表现形态、实现功能和监管方式等方面有很大不同的国有资产都纳入一部"大而全"的法律全面调整，立法难度会大大增加，缺乏可行性。二是从立法迫切性看，目前对行政性国有资产的管理，已有国务院及国务院财政、机关事务管理等部门制定的相关行政法规、规章和有关规范性文件加以规范；有关国有自然资源的权属及其保护和开发利用等，除物权法外，已有土地管理法、矿产资源法、森林法、水法、海域使用管理法等相关的专门法律调整；而企业国有资产在国有资产中占有很大比重，具有特殊的地位和作用，实践中迫切需要专门立法的问题突出，各方面对国有资产的关注，也主要是集中在确保企业国有资产的保值增值上。据此，本法通过对所称的国有资产下定义的方法，将其适用范围限定为企业国有资产，即国家对企业的出资所形成的权益。

国家对金融类企业的出资所形成的权益，也属于企业国有资产的一部分，应当纳入本法的统一规范和保护范围。同时，考虑到对金融类资产监管的一些特殊问题应适用中国人民银行法、银行业监督管理法、证券法、保险法等有关金融方面的法律、行政法规的规定，据此，本法还规定：金融企业国有资产的管理与监督，法律、行政法规另有规定的，依照其规定。

与本法适用范围密切相关的是本法的名称问题。对此，在草案起草过程中曾有不同意见，提出过多种方案。提请全国人大常委会初审的草案名称为"国有资产法"。在审议和征求意见过程中，仍有意见提出，本法的适用范围实际上是经营性国有资产，即国家对企业的出资所形成的权益，也就是通常所称的企业国有资产。为使本法名称与其适用范围相适应，法律委员会建议，将本法名称改为"企业国有资产法"。全国人大常委会采纳了这个意见，将本法名称定为"企业国有资产法"。需要说明的是，按照本法第二条的规定，本法所称的企业国有资产，是指国家对企业的出资所形成的权益，即作为出资人对其出资的企业享有的资产收益、参与企业重大决策和选择企业管理者等权利，而不是指国家出资企业的厂房、机器设备等不动产和动产。依照物权法的规定，企业法人的不动产和动产，由企业依照法律、行政法规和企业章程享有占有、使用、收益和处分的权利。当然，企业行使这些权利，必须体现出资人的意志，符合出资人的利益。

（二）关于企业国有资产监督管理体制

在社会主义市场经济条件下，国家对其出资的企业或者说对经营性的国有资产，应当建立起什么样的监督管理体制，才符合发展社会主义市场经济的客观要求，才有利于促进国有资产的保值增值,有利于增进国有经济的活力、控制力和影响力,这是改革实践中一直在研究探索的重大问题。党的十六大报告和十六届三中全会决定总结了国有资产管理体制改革的实践经验,对社会主义市场经济条件下国有资产管理体制的改革目标作了明确阐述,其核心精神,就是要改变主要依靠行政隶属关系、采用行政手段管理国有企业的做法,建立起以产权关系为依托的企业国有资产出资人制度。政府作为企业国有资产的出资人代表,按照现代产权制度的基本规则,享有出资人权利,维护出资人利益。十六大报告和十六届三中全会决定明确提出:建立中央政府和地方政府分别代表国家履行出资人职责,享有所有者权益,权利、义务和责任相统一,管资产和管人、管事相结合的国有资产管理体制。要坚持政府公共管理职能和国有资产出资人职能分开的原则,在中央政府和省、市(地)两级地方政府设立国有资产管理机构。国有资产管理机构对授权监督的国有资本依法履行出资人职责,维护所有者权益,维护企业作为市场主体依法享有的各项权利,督促企业实现国有资本保值增值。党的十七大报告也提出了"完善各类国有资产的管理制度和体制"的要求。根据党的十六大、十七大精神,本法在"总则"中对企业国有资产的监督管理体制作了相应规定,主要包括:一是按照国有资产所有权由国务院统一行使,出资人职责由中央政府和地方政府分别代表履行的原则,明确规定:国有资产属于国家所有即全民所有,国务院代表国家行使国有资产所有权;国务院和地方人民政府依照法律、行政法规的规定,分别代表国家对国家出资企业履行出资人职责,享有出资人权益。并对由国务院和地方人民政府分别代表国家履行出资人职责的国家出资企业的范围作了规定。二是明确规定了政府履行出资人职责应当遵循的原则,即“国务院和地方人民政府应当按照政企分开、社会公共管理职能与国有资产出资人职能分开、不干预企业依法自主经营的原则,依法履行出资人职责”。企业国有资产法的这些规定,将中央确定的以建立国有资产出资人制度为核心内容的企业国有资产监督管理体制的要求,转化为法律的规定,使之法律化、制度化。

政府作为国家出资企业的出资人代表,享有出资人应当享有的各项权利、利益。鉴于物权法、公司法等法律、行政法规对企业出资人应当享有的权利、利益和责任都已有明确具体的规定,这些规定同样适用于企业国有资产的出资人,本法对此未再重复规定,而是在有关章节中针对企业国有资产的特殊性,对国有资产出资人代表履行出资人职责的具体事项作了相应的规定。

(三)关于履行出资人职责的机构

按照党的十六大和十六届三中全会提出的建立中央政府和地方政府分别代表国家履行出资人职责,享有所有者权益,权利、义务和责任相统一,管资产和管人、管事结合的国有资产管理体制和坚持政府公共管理职能和国有资产出资人职能分开,在中央政府和省、市(地)两级地方政府设立国有资产监督管理机构的要求,总结国有资产监督管理体制改革的实践经验,为从法律制度上解决国有资产出资人代表到位,行使国有资产出资人权利，承担维护出资人权益责任的问题，本法第二章对履行出资人职责的机构作了专章规定，主要包括以下内容：

一是明确规定：国务院国有资产监督管理机构和地方人民政府按照国务院的规定设立的国有资产监督管理机构，根据本级人民政府的授权，代表本级人民政府对国家出资企业履行出资人职责。国务院和地方人民政府根据需要，可以授权其他有关部门、机构代表本级人民政府对国家出资企业履行出资人职责。这一规定有两层含义：

第一，代表国务院和地方人民政府履行国有资产出资人职责的机构，主要是指国务院国有资产监督管理机构即国务院国资委，以及地方人民政府按照国务院规定设立的国有资产监督管理机构即地方政府国资委。国务院2003年5月发布的《企业国有资产监督管理暂行条例》规定，“国务院，省、自治区、直辖市人民政府，设区的市、自治州人民政府，分别设立国有资产监督管理机构”。国有资产监督管理机构“根据授权，依法对企业国有资产进行监督管理”。按照国务院的规定，2003年以后，国务院以及省和绝大多数设区的市一级地方政府先后都设立了国有资产监督管理委员会，按照本级政府的授权，代表政府对企业国有资产履行出资人职责。各级政府国资委成立后，勇于实践、大胆探索，创造性地开展工作，依法对其监管范围内的企业国有资产履行出资人职责、行使出资人权利，努力做到既保证出资人代表履行职责到位，又不干预企业依法享有的经营自主权，使长期以来存在的企业国有资产出资人代表缺位的问题开始得到解决，为建立和进一步完善与社会主义市场经济体制相适应的国有资产监督管理体制积累了经验。

第二，按照中央确定的建立国有资产出资人制度的要求，企业国有资产原则上应当由国务院和有关地方人民政府特设的国有资产监督管理机构统一履行出资人职责。同时，考虑到有些特定行业的特殊情况，需要由或者暂时要由政府授权的其他部门、机构代表政府履行出资人职责，例如，按照国务院的有关规定，国务院授权财政部对金融行业的国有资产、中国对外文化集团公司、中国出版集团公司、中国烟草总公司等企业的国有资产进行监管，中国邮政集团公司暂由财政部代表国务院履行出资人职责等。此外，按照《企业国有资产监督管理暂行条例》的规定，“企业国有资产较少的市、自治州，经省、自治区、直辖市人民政府批准，可以不单独设立国有资产监督管理机构”。因此，本法还规定，国务院和有关地方人民政府根据需要，可以授权其他有关部门、机构，代表本级政府对国家出资企业履行出资人职责。

本法关于履行出资人职责的机构的规定，符合中央关于国有资产管理体制改革精神，反映了改革的成功经验，兼顾了改革过程渐进性的实际情况，也为进一步的改革留有空间。

二是与物权法、公司法的有关规定相衔接，对政府履行出资人职责的机构的权利作了概括性规定。即履行出资人职责的机构代表本级人民政府对国家出资企业依法享有资产收益、参与企业重大决策和选择管理者等权利。对履行出资人职责的机构代表出资人行使权利的一些具体内容，在本法其他章节中作了规定。此外，为保证国有控股公司和国有参股公司中国有股东代表实际到位，本法还规定，履行出资人职责的机构应当委派股东代表参加国有资本控股公司、国有资本参股公司的股东会。委派的国有股东代表应当按照委派机构的指示提出提案、发表意见、行使表决权，并将履职情况和结果及时报告委派机构。

三是规定履行出资人职责的机构在代表出资人行使权利的同时，按照权利、义务、责任相统一的原则，对其义务、责任也作了概括性规定。主要是：履行出资人职责的机构应当依照法律、行政法规以及企业章程履行出资人职责，保障出资人权益，防止国有资产损失；应当维护企业作为市场主体依法享有的权利，除依法履行出资人职责外，不得干预企业经营活动；履行出资人职责的机构对本级人民政府负责，向本级人民政府报告履行出资人职责的情况，接受本级人民政府的监督和考核，对国有资产的保值增值负责；对法律、行政法规和本级人民政府规定须经本级人民政府批准的履行出资人职责的事项，应当事先报经批准。

在国有资产法草案的起草和研究修改过程中，有意见提出，应当在本法中对国有资产监督管理机构的各项具体职责作出明确规定。经研究认为，国有资产监督管理机构作为政府的特设机构，其具体工作职责应依照宪法、国务院组织法、地方各级人民代表大会和地方各级人民政府组织法等法律的规定，由本级人民政府确定，不必在法律中规定。这也是其他立法处理这类问题的通常做法。实际情况是,国务院和有关地方人民政府在对本级政府国资委的“三定”规定中,已对国资委的具体职责作了规定,应当按照执行。

(四)关于国家出资企业

本法第三章对国家出资企业作了专章规定。按照本法规定,国家出资企业包括企业全部注册资本均为国有资本的国有独资公司和非公司制的国有独资企业,也包括企业注册资本中包含部分国有资本、并且国有资本占有绝对控股或者相对控股地位的国有资本控股公司,以及国有资本不占控股地位的国有资本参股公司。本法以规范国有独资企业、国有独资公司和国有控股公司与国有资产出资人权益有关的事项为重点。国有参股公司国有股东的权益,主要是适用公司法的规定。

需要说明的是,有关国家出资企业的组织形式、设立方式、内部组织机构及治理结构,以及企业的经营自主权等,主要适用公司法等专门的企业组织法律的规定,本法对这些问题主要是作了与有关法律相衔接的规定。

由国家出资企业出资设立的子企业不属于国家直接出资的企业,但国家出资企业的国有资本出资人权益,通过国家出资企业的投资延伸到子企业。对国家出资企业履行出资人职责的机构,应当通过对国家出资企业行使出资人权利,决定或者参与决定母企业的对外投资,并通过母企业行使对子企业的出资人权利,维护母企业作为出资人的权益,从而维护作为母企业的国有资本出资人的权益。为此,本法规定:国家出资企业对其所出资企业，应当依法通过制定或者参与制定所出资企业的章程，建立权责明确、有效制衡的企业内部监督管理和风险控制制度，维护出资人权益。并在本法第五章“关系国有资产出资人权益的重大事项”一章中规定：国有独资企业、国有独资公司、国有资本控股公司对其出资企业的重大事项参照本章规定履行出资人职责。具体办法由国务院规定。

（五）关于国家出资企业的管理者

这里讲的企业管理者，包括履行企业经营决策职能的企业董事会的成员，包括董事长、副董事长和董事，负责企业日常经营管理的经理（厂长、总裁等）、副经理，以及财务负责人等企业高级管理人员；也包括履行有关监督职能的企业监事会成员，包括监事会主席和监事。企业管理机构的设置和管理人员的配置，应根据不同的企业组织形式、企业规模大小等具体情况，按照公司法等有关法律、行政法规以及企业章程的规定确定。

出资人投资设立企业，将企业交给企业管理者经营管理，企业管理者是否称职、尽责，对企业的发展、对出资人权益的保障关系尤为重大。正因为如此，选择企业管理者成为出资人受法律保护的最重要的基本权利之一。选择好国家出资企业的管理者，当然也是保障企业国有资产权益的重要方面。本法按照建立健全与现代企业制度相适应的企业管理者选拔任用机制的要求，总结企业人事制度改革的实践经验，并与公司法等法律规定相衔接，按照国有独资、控股、参股的不同企业类型，对国家出资企业管理者的有关事项作了专章规定。

主要包括：

一是针对不同的企业组织形式，规定了由履行出资人职责的机构任免或者建议任免的企业管理者的范围：非公司制的国有独资企业不设董事会和内部监事会，其经理、副经理和财务负责人等企业高级管理人员，由代表政府对该企业履行出资人职责的机构任免；国有独资公司应依照公司法的规定设立董事会、监事会，其董事会成员，包括董事长、副董事长和董事，监事会成员，包括监事会主席和监事，由行使股东会职权的履行出资人职责的机构任免；国有资本控股、参股的公司，由国有股东和其他股东共同行使选择企业管理者的权利，依照公司法的规定，通过股东会、股东大会选举产生董事和监事。代表国有股东履行出资人职责的机构应依照法律和公司章程向公司股东会、股东大会提出董事、监事人选。此外，按照公司法的规定，公司的经理应由董事会决定聘任或者解聘，副经理和财务负责人等其他高级管理人员，应由董事会根据经理的提名决定聘任或者解聘。即经理、副经理和财务负责人的任免权属于董事会，不属于股东。本法对公司制的国家出资企业的经理等高级管理人员的任免权未作规定，对此应按照公司法的规定执行。

此外，按照现行国家出资企业负责人管理的有关规定，有些国家出资企业的主要负责人是由本级人民政府任免的，为此，本法规定，国务院和有关地方人民政府规定，企业管理者由本级人民政府决定任免的，依照其规定。

二是对由履行出资人职责的机构任免或建议任免的国家

出资企业的管理者，在品行、专业知识和工作能力以及身体条件等方面应具备的基本条件，以及任命或者建议任命的程序作了原则规定。目前，有关部门和机构在这方面已经作了一些具体规定，还需要进一步总结实践经验，不断加以完善。

三是规定了国家出资企业管理者履行职务必须遵守的基本准则，要求其应当忠实、勤勉地履行职务，不得利用职权谋取私利，不得侵占、挪用企业资产，不得超越职权或者违反程序决定企业重大事项，不得有其他损害国有资产出资人权益的行为。并按照权责一致的原则，肯定实践中的成功做法，对国家出资企业管理者的考核、奖惩和经济责任审计作了规定。如何对国家出资企业的管理者的履职情况进行考核，确定一套科学、合理的考核量化指标，并将考核结果与对被考核者的奖惩挂钩，这是对国家出资企业管理者实行激励和问责的一项重要的基础性工作，对落实国有资产保值增值责任具有重要作用。近年来，国务院国资委在这方面进行了有益探索，制定了《中央企业负责人经营业绩考核暂行办法》等有关规章和规范性文件，不少地方也出台了相应的办法，使得对国家出资企业管理者的考核和奖惩已基本上有章可循。在贯彻执行本法的过程中，有关方面还应当进一步总结实践经验，对这些制度和办法不断加以完善，把法律对这一问题的规定落到实处。

此外，为规范对国家出资企业管理者的薪酬管理，本法规定，国家出资企业管理者的薪酬标准，由决定其任免的履行出资人职责的机构确定。履行出资人职责的机构应当综合考虑市场因素、不同企业管理者的风险和责任、管理者薪酬与企业职工工资的协调等因素，充分体现激励与约束相统一的原则，合理确定企业管理者的薪酬标准，在实践中不断完善现行的相关制度和办法。

（六）关于涉及企业国有资产权益的重大事项

国家出资企业合并、分立、改制、上市、增减资本、发行债券、进行重大投资、为他人提供大额担保、转让重大财产、进行大额捐赠、分配利润，以及解散、申请破产等重大事项，与出资人权益关系重大，也是实践中容易发生国有资产流失的环节，各方面普遍要求对这些重大事项的决策和实施作出有针对性的法律规定，既注意保障企业依法享有的经营自主权，尊重市场规律，保证经营活动的效率和效益；又注意保证国有资产出资人代表履行职责到位，依法加强监管，维护国有资产权益，防止国有资产流失，促进国有资产保值增值。本法以这部分内容为重点，在广泛调查研究，认真总结实践经验，研究现行有关法规、规章和政策规定的基础上，将实践证明是行之有效的、成熟的规定和做法，以法律的形式固定下来，对关系国有资产出资人权益的重大事项作了专章规定。其中除了按照国家出资企业的不同类型，对企业合并、分立、增加或者减少注册资本、发行债券、为他人提供大额担保、转让重大财产、进行大额捐赠、分配利润，以及解散、申请破产等关系出资人权益的重大事项的决定权限、决策程序和防范风险的基本要求作了规定外，还特别针对实践中最易发生国有资产流失的企业改制、与关联方交易、资产评估、国有资产转让等应遵守的基本规则分节作了规定,以从法律制度上构建起保障国有资产安全、防止国有资产流失的屏障。

1. 关于企业改制

企业改制,是指企业改变组织形式,包括:国有独资企业改为国有独资公司;国有独资企业、国有独资公司通过转让部分存量国有资产或者增资扩股,吸收非国有股东,改组为国有资本控股公司或国有资本参股公司,或者转让全部国有资产而改组为没有国有资本的公司;以及国有资本控股公司改为国有资本参股或者不参股的公司。

国有企业改制的目的是要按照中央提出的建立现代企业制度和以股份制作为公有制主要实现形式的要求,建立符合社会主义市场经济要求的现代企业制度,从总体上增强国有经济的活力、控制力和影响力。在改制过程中,必须注重维护国有资产权益,防止国有资产流失。为此,本法规定:

第一,企业改制应当体现出资人的意志,由企业的出资人依法决定。对于国有独资企业、国有独资公司,应由作为其唯一股东代表的履行出资人职责的机构决定;重要的国有独资企业、国有独资公司的改制,还应由履行出资人职责的机构报本级人民政府批准。国有控股公司改制,应由股东会或股东大会表决决定。

第二,企业改制必须制定改制方案,载明企业的资产处理方案、债权债务处理方案、股权变动方案、改制的操作程序,以及资产评估机构和财务审计机构的选聘等事项。国有独资企业、国有独资公司、国有控股公司改为非国有控股公司的改制方案，以及重要的国有独资企业、国有独资公司、国有控股公司改制的方案，须由履行出资人职责的机构事先报本级人民政府批准。为充分保障改制企业职工权益，企业改制涉及重新安置职工的，还应当制定职工安置方案，并经职工代表大会或者职工大会审议通过。

第三，针对在企业改制过程中时有发生的故意低估国有企业存量财产的价值，进行低价折股，造成国有资产流失的现象，本法明确规定，企业改制必须进行清产核资、财务审计和资产评估，准确界定和核实资产，客观、公正地确定资产的价值。涉及以企业的非货币资产折算为国有资本出资或者折算为国有股股份的，应当以经过依法评估确认的价格为依据。不得将企业的实物财产、知识产权等低价折股，不得有其他损害国有资产出资人权益的行为。并在“法律责任”一章中，对违反上述规定的法律责任作了明确规定。

2. 关于国有资产转让

本法所说的国有资产转让，是指将国家对企业的出资所形成的权益有偿转移给其他单位或者个人的行为，即转让国有股东权益的行为，不是指国家出资企业转让其机器设备、知识产权等财产的行为。企业依法处分属于企业法人财产的实物资产、知识产权等财产，属于企业经营自主权范畴；而转移国家对企业的出资权益，则涉及国家权益的变动，应当由法律加以规范。为在国有资产转让中维护国有资产权益，防止国有资产流失，尽可能实现国有资产保值增值，本法除了对转让国有资产应当遵循的等价有偿和公开、公平、公正原则，转让国有资产的决定和批准权限作了规定外，还针对转让过程中直接影响国有资产权益的转让方式和转让价格确定，以及产生弊端的可能性较大的国有资产向本企业管理层转让的问题作了规范。

关于转让方式，本法规定，除按照规定可以直接协议转让的以外，转让应当在依法设立的产权交易场所公开进行。转让方应当真实、全面地公开拟转让资产的信息，征集受让方；征集产生的受让方为两个以上的，转让应当采用公开竞价的交易方式。实践证明，通过公开、竞争的市场交易，充分运用市场发现价格的机制，是尽可能实现国有资产转让价格最大化的有效措施。例如，福建雪津啤酒公司通过福建省产权交易中心公开转让其国有股权，该公司的净资产账面价值为4.7亿元，全部股权评估价格为6.67亿元，在产权交易中心的挂牌转让价为10亿元。由于有北京燕京啤酒、比利时英博集团、荷兰喜力集团等多家知名企业竞争，最终比利时英博集团以58.86亿元的高价购得，成交价是公司净资产账面价值的10倍多，分别是评估价格和挂牌价格的8.8倍和5.9倍。同时，阳光是最好的防腐剂，通过市场公开交易，禁止“暗箱”操作，可以有效地防止国有资产转让过程中的舞弊行为，防止国有资产流失。

关于转让价格的确定，本法规定，国有资产转让应当以依法评估并经履行出资人职责的机构认可，或者按照有关规定由履行出资人职责的机构报经本级人民政府核准的价格为依据，合理确定最低转让价格。按照国务院国资委现行规定，转让国有资产在产权交易场所的首次挂牌价格不得低于经备案或者核准的评估价格。经公开征集没有产生意向受让方的，转让方可以确定新的挂牌价格并重新公告；但如确定的新挂牌价格低于资产评估价格的90%的，应当取得相关产权转让批准机构的书面批准。

关于国有资产向本企业管理层转让，这里说的国有资产向管理层转让，是指将企业的国有股权向本企业的董事、监事和经理等高级管理人员或者其近亲属转让，或者向这些人员所有或者实际控制的企业转让。一些国有企业在改制过程中，将企业的国有股权向本企业的管理层转让，有的国有企业的管理者通过虚报、瞒报企业资产，虚构企业债务，与评估机构串通低估国有资产价值，故意将国有企业做亏等手段，以明显不公平的低价取得企业的国有股权，严重侵害国有资产权益，造成国有资产流失，引起职工的强烈不满和社会广泛关注。国务院和国务院国资委曾多次发文，对此予以规范。本法总结实践经验，针对这方面存在的主要问题，明确规定：转让国有资产，本企业的管理层参与受让的，相关的管理人员不得参与转让方案的制订和组织实施工作；转让应当依法公开进行，转让方应当按照国家有关规定如实披露有关信息；参与受让的管理层人员应当与其他受让参与者平等竞买。同时，考虑到大型、重要的国有企业的国有产权不宜向企业管理层转让，对此需要由相关法律、行政法规或者国务院国有资产监督管理机构作出具体规定，因此，本法规定，只有法律、行政法规或者国务院国有资产监督管理机构规定，企业国有资产可以向本企业管理层转让的,方可向管理层转让。

3.关于资产评估

在涉及国家出资企业的资产流转、交易等过程中,合理评估相关资产的价值,是国有资产管理的一项重要的基础性工作。从实践中看,在国家出资企业改制、改组等过程中,对国家出资企业拟转让的实物资产的价值故意予以低估,对他人向国家出资企业投资的实物资产的价值予以高估,是造成国有资产损失的环节之一。为规范涉及国家出资企业的资产评估行为,本法主要作了以下规定:

一是对应当进行资产评估的有关经济行为作了明确规定。按照本法规定,国有独资企业、国有独资公司和国有控股公司合并、分立、改制、转让重大财产、以非货币财产对外投资、清算或者有法律、行政法规以及企业章程规定应当进行资产评估的其他情形的,应当按照规定对有关资产进行评估。

二是规定资产评估应当委托依法设立的符合条件的资产评估机构进行;据以进行资产评估的经济行为属于应当报经履行出资人职责的机构决定的事项的,应当将选择资产评估机构的情况向履行出资人职责的机构报告。

三是规定国有独资企业、国有独资公司、国有控股公司及其董事、监事、高级管理人员,应当向资产评估机构如实提供有关情况和资料,不得与资产评估机构串通评估作价。

四是规定资产评估机构及其工作人员受托评估有关资产,应当遵守法律、行政法规以及评估执业准则,独立、客观、公正地对委托评估的资产进行评估。资产评估机构应当对其出具的评估报告负责。

同时，在本法“法律责任”一章中，还对在资产评估中违反本法规定的法律责任作了规定。

4. 关于国家出资企业与特定关联方的交易

这里讲的特定“关联方”，是指国家出资企业的董事、监事、高级管理人员及其近亲属，以及这些人员所有或者实际控制的企业。

国家出资企业的董事、监事、高级管理人员，对企业的生产经营活动行使管理或内部监督的职权。对这些管理人员自己，或者自己的近亲属，或者上述人员所控制的企业，与自己任职的国家出资企业进行交易，客观上存在利益冲突。如果没有必要的规范和制约，很可能发生管理者利用职权，在交易活动中将国家出资企业的利益向自己一方输送，损公肥私，造成国有资产流失。这种现象在实践中也确有发生。针对这种情况，本法主要作了以下规定：

一是明确规定国有独资企业、国有独资公司、国有资本控股公司不得无偿向关联方提供资金、商品、服务或者其他资产；不得以不公平的价格与关联方进行交易，包括不得以不公平的低价向关联方提供商品或服务，不得以不公平的高价购买关联方的商品或服务。

二是为防止企业因内部人控制发生不合理的关联方交易，本法规定，国有独资企业、国有独资公司未经履行出资人职责的机构同意，不得与关联方订立财产转让、借款的协议，不得为关联方提供担保，不得与关联方共同出资设立企业或者向董事、监事、高级管理人员或者其近亲属所有或者实际控制的企业投资。对于国有控股、参股公司与关联方的交易，应依照公司法和有关行政法规以及公司章程的规定，由公司股东会、股东大会或者董事会决定。公司股东会、股东大会对公司与关联方的交易作出决议时，履行出资人职责的机构委派的股东代表应当按照委派机构的指示发表意见、行使表决权。公司董事会对公司与关联方的交易作出决议时，该交易涉及的董事不得行使表决权，也不得代理其他董事行使表决权。

同时，本法还明确规定，关联方交易的当事人违反本法规定，恶意串通，损害国有资产权益的，该交易行为无效。

（七）关于国有资本经营预算

国有资本经营的收益属于国家。将国有资本经营收益纳入预算管理，有利于合理调整和规范国家出资企业的收入分配关系，有利于增强政府的宏观调控能力，进一步推进国有经济布局和结构的战略性调整，促进国有企业的改革和发展，也有利于使全体人民共享国有资本的经营成果。根据党的十六大、十七大提出的建设国有资本经营预算制度的要求，本法明确规定对国有资本收益实行预算管理。依照预算法的规定，本法对国有资本经营预算的收支范围、编制原则、编制和批准程序等作了原则规定。同时，考虑到国有资本经营预算制度正在试点，还需要在实践中逐步调整完善，企业国有资产法规定：国有资本经营预算管理的具体办法和实施步骤由国务院规定，报全国人大常委会备案。

此外，本法还就加强对企业国有资产的监督，包括各级人大常委会依法实施的监督,政府对其授权履行出资人职责的机构履行职责的情况进行的监督,审计机关依法实施审计监督,以及接受社会的监督等作了专章规定;对违反本法规定的法律责任作了专章规定,以保障本法的有效实施。

学习贯彻企业国有资产法,要与学习贯彻物权法、公司法等法律的规定结合起来,特别要注意把握好与贯彻实施公司法的相关规定的关系。公司法重在规范公司的组织形式、公司内部治理结构以及公司与交易相对人的关系;企业国有资产法重在建立规范的国有资产出资人制度,确立国家出资企业涉及国有资产权益重大事项的基本操作规范。企业国有资产法的有关规定与公司法是相互衔接的。已经依照公司法的规定建立起公司制组织形式的国家出资企业,既要遵守公司法的规定,建立现代企业制度,也要严格执行企业国有资产法的规定,维护国有资产权益。

第二部分　释　　义

第一章　总　　则

第一条　为了维护国家基本经济制度，巩固和发展国有经济，加强对国有资产的保护，发挥国有经济在国民经济中的主导作用，促进社会主义市场经济发展，制定本法。

【释义】　本条是关于本法立法目的的规定。

一、新中国成立以来，特别是改革开放以来，我国国有经济日益发展壮大，已积累起数量巨大的国有资产，国有经济在国民经济中发挥着主导作用。同时也应看到，在改革过程中，由于国有资产监督管理体制、机制不够完善，相关的制度不够健全，在一些地方和一些国家出资企业，假“改革”之名，将国有资产低价折股、低价出售、无偿分给个人等侵害国有资产、造成国有资产流失的现象时有发生，引起人民群众的不满和社会的广泛关注，因此，要求制定专门的法律，健全制度，堵塞漏洞，切实维护国有资产，保障国有资产安全的呼声很高。近年来，每年全国人大会议期间，都有许多全国人大代表提出尽快制定国有资产法的议案和建议，制定一部专门保护国有资产的法律已成为各方面的共识。

二、宪法规定，“国家在社会主义初级阶段，坚持以公有制为主体、多种所有制经济共同发展的基本经济制度”；“国有经济，即社会主义全民所有制经济，是国民经济中的主导力量。国家保障国有经济的巩固的发展”。依照宪法，根据党的十六大、十七大精神，按照中央提出的国有资产监督管理体制改革的目标要求，针对实际中存在的需要立法解决的主要问题，企业国有资产法以加强对国有资产的保护，保障国有资产安全，促进国有资产保值增值为立法重点，在认真总结改革发展实践经验的基础上，对涉及企业国有资产的若干重大事项作了规定，构建起相应的法律制度。企业国有资产法作为在社会主义市场经济条件下维护国家基本经济制度，促进国有经济发展，保护国有资产的一部重要法律，在中国特色社会主义法律体系中占有重要的地位。

第二条　本法所称企业国有资产（以下称国有资产），是指国家对企业各种形式的出资所形成的权益。

【释义】　本条是关于企业国有资产的含义及本法适用范围的规定。

一、关于企业国有资产的含义，本条规定，本法所称企业国有资产是国家对企业各种形式的出资所形成的权益。

这里讲的国家对企业的出资，是指各级政府以及政府授权投资的部门、机构投入到企业的、作为企业资本金组成部分的资产。国家对企业的出资有多种形式。例如,20 世纪 80 年代中期,国家为了提高国有资金使用效率,将原来的国家对国有企业的基本建设投资由财政直接拨款改为通过银行转贷给企业使用的方式,即通常所说的“拨改贷”,这种形式实际上是国家以贷款的形式向企业出资。90 年代中期,又将“拨改贷”的资金本金余额转为国家资本金,即通常所说的“贷改投”。国家对企业的出资,既可以是货币出资,也可以以实物、知识产权、土地使用权等可以用货币估价并可以依法转让的非货币财产作价出资。

理解本法所称的企业国有资产,应特别注意将其与企业的法人财产相区别。依照本条规定,本法所称企业国有资产,是指国家作为出资人对所出资企业所享有的权益,而不是指国家出资企业的各项具体财产。出资人将出资投入企业,所形成的企业的厂房、机器设备等企业的各项具体财产,属于企业的法人财产。依照物权法和本法的规定,企业法人的不动产和动产,由企业依照法律、行政法规和企业章程享有占有、使用、收益和处分的权利。出资人对企业法人财产不具有直接的所有权,他对企业享有的是出资人权利,具体体现为资产收益、参与重大决策和选择管理者等权利。

二、关于本法的适用范围,在立法过程中曾有不同意见。国有资产通常可划分为三类:一是由国家对企业的出资所形成的权益,即本法所称的企业国有资产或称经营性国有资产;二是由国家机关、国有事业单位等组织占有、使用和管理的行政事业性国有资产;三是依法属于国家所有的土地、矿藏、森林、水流等资源性国有资产。本法起草中,有意见提出,应将这三类资产全部纳入国有资产法的适用范围,以体现对国有资产的全面保护。但经反复研究,一是应看到这三类国有资产在功能作用和监管方式等方面有较大不同:经营性国有资产是资本形态的国有资产,国家资本投入到企业后,国家并不对所出资企业的具体财产享有所有权,而是以出资人的身份享有出资人权益。经营性国有资产的主要功能是盈利性,一般要求其保值增值。国家向企业出资后,只能以出资人的身份对其出资企业进行监管,不能直接对企业的财产进行处分。需要有出资人代表行使出资人权利、维护出资人利益。行政事业性国有资产作为非投资性资产,由国家机关和事业单位占有使用,主要是要求占有使用单位按照国家有关规定节约和合理使用,避免损失和浪费,通常并无保值增值的要求,也不发生需设立出资人代表的问题。资源性国有资产即国家所有的自然资源,作为国家所有的财产,应直接适用物权法关于物权的规定以及有关自然资源保护和合理开发利用的法律规定;如果国家以土地使用权或者探矿权、采矿权、海域使用权等自然资源的使用权作价出资的,因该项出资而形成的经营性国有资产,适用企业国有资产的有关规定。如果将上述各类在表现形态、实现功能和监管方式等方面有很大不同的国有资产都纳入一部"大而全"的法律全面调整,立法难度会大大增加,缺乏可行性。二是从立法迫切性看,目前对行政性国有资产的管理,已有国务院及国务院财政、机关事务管理等部门制定的相关行政法规、规章和有关规范性文件加以规范;有关国有自然资源的权属及其保护和开发利用等，除物权法外，已有土地管理法、矿产资源法、森林法、水法、海域使用管理法等相关的专门法律调整；而企业国有资产在国有资产中占有很大比重，具有特殊的地位和作用，实践中迫切需要专门立法的问题突出，各方面对国有资产的关注，也主要是集中在确保企业国有资产的保值增值上。据此，本法通过对所称的国有资产下定义的方法，将其适用范围限定为企业国有资产，即国家对企业的出资所形成的权益。

第三条　国有资产属于国家所有即全民所有。国务院代表国家行使国有资产所有权。

【释义】 本条是关于国有资产所有权的归属和行使主体的规定。

一、本条第一句话，是对国有资产的所有权权利主体的规定。“国有资产”，顾名思义，是指属于国家所有的资产。国家作为国有资产所有权的权利主体，统一行使国有资产所有权。我国是社会主义国家，依照宪法关于“国有经济，即社会主义全民所有制经济”和民法通则关于“国家财产属于全民所有”的规定，本条明确规定，国有资产属于国家所有即全民所有。国家作为全体人民意志和利益的代表，对全体人民共同所有的国有资产享有占有、使用、收益和处分的权利。

二、本条第二句话，是对代表国家行使国有资产所有权的主体的规定。本条明确规定，由作为国家最高权力机关的执行机关亦即国家最高行政机关的国务院，代表国家行使国有资产的所有权。这一规定,与物权法等法律的规定相衔接。当然,国务院代表国家行使国家资产所有权,依法对全国人大负责,受全国人大监督。

第四条　国务院和地方人民政府依照法律、行政法规的规定,分别代表国家对国家出资企业履行出资人职责,享有出资人权益。

国务院确定的关系国民经济命脉和国家安全的大型国家出资企业,重要基础设施和重要自然资源等领域的国家出资企业,由国务院代表国家履行出资人职责。其他的国家出资企业,由地方人民政府代表国家履行出资人职责。

【释义】　本条是关于国务院和地方人民政府分别代表国家履行出资人职责的规定。

一、依照本条规定,在国务院代表国家统一行使国有资产的所有权的前提下,应由国务院和有关地方人民政府分别代表国家对国家出资企业履行出职人职责。我国国有资产无论是地域的分布,还是行业的分布,都很广泛,国家出资企业的规模大小差异也很大,全部都由国务院履行出资人职责难以做到。党的十六大报告明确提出,在坚持国家所有的前提下,充分发挥中央和地方两个积极性,建立中央政府和地方政府分别代表国家履行出资人职责,享有所有者权益,权利、义务和责任相统一,管资产和管人、管事相结合的国有资产管理体制。关系国民经济命脉和国家安全的大型国有企业、基础设施和重要自然资源等,由中央政府代表国家履行出资人职责。

其他国有资产由地方政府代表国家履行出资人职责。本法按照这一要求,规定国务院和地方人民政府依照法律、行政法规规定,分别代表国家对国家出资企业履行出资人职责,享有出资人权益。规定由国务院和地方人民政府分别代表国家对企业国有资产履行出资人职责,有利于充分发挥中央与地方两个积极性,针对不同规模不同类型的企业,实行有效的监管,确保出资人代表履行职责到位。

二、本条第二款对由国务院和地方人民政府分别代表国家履行出资人职责的国家出资企业的范围作了原则规定。由国务院代表国家履行出资人职责的企业限于国务院确定的三类企业:一是关系国民经济命脉和国家安全的大型国家出资企业;二是重要基础设施企业;三是重要自然资源等领域的国家出资企业。这些企业通常分布在航空航天、石油石化、电力、电信、交通运输、重要资源开发、国防工业、重大装备制造等关系国家安全和国民经济命脉的重要行业和关键领域。国家在推进企业布局和结构的调整中,推动国有资本向这些重要行业和关键领域集中,以保证国家对整个国民经济的控制力。

对上述企业以外的国家出资企业,由地方政府代表国家履行出资人职责。

第五条　本法所称国家出资企业,是指国家出资的国有独资企业、国有独资公司,以及国有资本控股公司、国有资本参股公司。

【释义】　本条是关于国家出资企业的范围的规定。

按照本条规定,国家出资企业包括:

一是国有独资企业。即依照全民所有制企业法设立的,企业全部资本均为国有资本的非公司制企业。按照全民所有制企业法的规定,全民所有制企业是依法自主经营、自负盈亏、独立核算的经营单位。企业对国家授予其经营管理的财产享有占有、使用和依法处分的权利。企业内部的治理结构与公司制企业不同:企业的高级管理人员由政府或者履行出资人职责的机构直接任命;政府通过向企业派出监事组成监事会,对企业的财务活动及企业负责人的经营管理行为进行监督。

二是国有独资公司。即依照公司法设立的企业全部资本均为国有资本的公司制企业。公司法对国有独资公司作了专门规定:国有独资公司是国家单独出资、由国务院或者地方人民政府授权本级人民政府国有资产监督管理机构履行出资人职责的有限责任公司。国有独资公司不设股东会,由国有资产监督管理机构行使股东会职权,也可以授权公司董事会行使部分股东会的职权;国有独资公司的公司章程由国有资产监督管理机构制定或者由董事会制定,报国有资产监督管理机构批准;董事会成员、监事会成员都由国有资产监督管理机构委派。公司的合并、分立、解散、增加或者减少注册资本、发行债券等重大事项都由国有资产监督管理机构批准。

三是国有资本控股公司。即按照公司法成立的国有资本具有控股地位的公司,包括有限责任公司和股份有限公司。这里所称国有资本控股,是指国有资本的出资人具有控股股东的地位。我国公司法对“控股股东”作了界定，是指其出资额占有限责任公司资本总额50%以上或者其持有的股份占股份有限公司股本总额50%以上的股东；出资额或者持有股份的比例虽然不足50%，但依其出资额或者持有的股份享有的表决权已足以对股东会、股东大会的决议产生重大影响的股东。

四是国有资本参股公司。即公司资本包含部分国有资本，但国有资本没有控股地位的股份公司。

鉴于国有资本在国有独资企业、独资公司与国有资本控股公司和国有资本参股公司中所占份额不同，本法针对国家出资企业的不同类型，对国有资产出资人权益的行使分别作出了相应规定。

第六条　国务院和地方人民政府应当按照政企分开、社会公共管理职能与国有资产出资人职能分开、不干预企业依法自主经营的原则，依法履行出资人职责。

【释义】　本条是关于政府履行国有资产出资人职责应遵循的几项基本原则的规定。

一、政企分开，是改革的基本要求。我国30年来所进行的经济体制改革的一个重要目标，就是要使企业真正成为市场主体。这些年来，随着国有企业改革进程的推进，政企不分的情况已经大大改变，但改革还没有完全到位，在一些领域和部门仍存在着政企不分的问题。加快政企分开的改革进程仍然是今后一个时期的重要任务。党的十七届二中全会提出的深化行政管理体制改革的要求，就是要以政府职能转变为核心，加快推进政企分开，把不该由政府管理的事项转移出去，把该由政府管理的事项切实管好，从制度上更好地发挥市场在资源配置中的基础性作用。

二、社会公共管理职能与国有资产出资人职能分开，是中央提出的建立与社会主义市场经济体制要求相适应的国有资产管理体制的基本要求。社会公共管理职能与国有资产出资人职能是两种不同的职能，其性质和行使的原则、方式不同。社会公共管理职能是政府及其有关职能部门依法处理社会公共事务、提供和分配公共产品和服务，以保障和增进社会公共利益的职权和职责。包括经济的宏观调控和管理的职能；监督各类企业依法从事经营活动，维护正常的市场秩序的职能；提供社会保障，促进公平分配和保护环境的职能等。政府代表国家履行国有资产出资人的职能，是政府作为国家出资企业的出资人代表，从国有资本管理与运营的角度对其资产进行的监管，其行使的是出资人权利，即资产收益、参与重大决策和选择管理者的权利，负有对国有资产的保值增值责任。政府的两类不同职能分开，既有利于履行政府公共管理职能的部门找准自己的角色定位，把职能真正转变到经济调节、市场监管、社会管理和公共服务上来；又有利于政府履行出资职责的机构依照法律的规定履行好国有资产出资人代表职责，确保国有资产出资人代表到位，保障国有资产安全，对国有资产的保值增值负责。

三、国务院和地方人民政府应当依照法律、行政法规的规定，代表国家对国有资产履行出资人职责，做到不缺位、不越位、不错位。要尊重、维护国家出资企业的市场主体地位，不干预企业依法自主经营的权利。

第七条 国家采取措施，推动国有资本向关系国民经济命脉和国家安全的重要行业和关键领域集中，优化国有经济布局和结构，推进国有企业的改革和发展，提高国有经济的整体素质，增强国有经济的控制力、影响力。

【释义】 本条是关于对国有经济发展的基本要求的规定。

一、国有经济是国民经济中的主导力量，国有资本以其强大的实力，具有支配、引导社会资本和作为国民经济稳定器的作用。党的十五大就已提出国有经济的战略布局的结构调整任务，提出国有经济向关系国民经济命脉的重要行业和关键领域集中。经过近年来的改革调整，国有经济的布局与结构已发生了重大变化，国有经济布局的范围适度集中，结构不断优化，国有经济比重虽然有所下降，但总量不断扩大，国家综合实力增强。在新的历史发展时期，我国国有经济仍然担负着协助政府把握经济总供给和总需求、调节国民经济重大比例关系、优化重大生产力布局、发展和改善区域经济布局、稳定重要公共产品价格、合理引导社会资金投向、贯彻国家公共政策等重要使命。国家通过合理规划和确定国有资本的投向，加强国有资本的重组和优化配置，提高国有经济的整体素质。本法将这一基本任务作为国有经济发展的基本要求加以规定,对更好地发挥国有经济的主导作用,提高国有经济的控制力、影响力具有重要意义。

二、这里所说的优化布局包括:优化国有经济在国民经济行业和区域间的分布,国有资本更多地投向关系国家安全和国民经济命脉的重要行业和关键领域;优化国有经济在产业内部的分布,国有资本向具有竞争优势的行业和未来可能形成主导产业的领域集中;优化国有经济在企业业务领域的分布,国有资本向具有较强国际竞争力的大公司大企业集团集中;优化国有经济在企业内部的分布,国有资本向企业主业集中。

三、对于国有经济的结构调整,国务院国资委要求:完善国有资本有进有退、合理流动的机制,使股份制成为公有制的主要实现形式。产权结构要与经济布局相适应,在关系国家安全和国民经济命脉的重要行业和关键领域,国有经济对军工、石油和天然气等重要资源开发及电网、电信等基础设施领域保持绝对控制力;对民用航空、航运等领域保持较强控制力;对基础性和支柱产业,包括机械装备、电子信息、汽车、建筑、钢铁、有色金属等行业和领域的重要企业保持较强的控制力;其他行业和领域的国有企业,通过资产重组和结构调整,在市场公平竞争中优胜劣汰。

四、公平竞争、优胜劣汰是市场经济的基本法则。国家出资企业作为市场主体参与市场竞争,在市场竞争中求生存、求发展,必须深化改革,建立和完善法人治理结构,不断提高企业的综合素质和竞争能力,从而不断提高国有经济的整体素质，增强国有经济的控制力、影响力。

第八条　国家建立健全与社会主义市场经济发展要求相适应的国有资产管理与监督体制，建立健全国有资产保值增值考核和责任追究制度，落实国有资产保值增值责任。

【释义】　本条是关于国有资产管理与监督体制的原则规定。

一、国有资产管理与监督体制是我国经济管理体制的重要组成部分。建立健全与社会主义市场经济发展要求相适应的国有资产管理与监督体制，是进一步深化改革的必然要求。党的十六大总结了国有资产管理体制改革的实践经验，提出了以建立国有资产出资人制度为核心内容的企业国有资产管理体制，即在坚持国家所有的前提下，充分发挥中央和地方两个积极性，建立中央政府和地方政府分别代表国家履行出资人职责，享有所有者权益，权利、义务和责任相统一，管资产和管人、管事相结合的国有资产管理体制。各级政府要严格执行国有资产管理法律法规，坚持政企分开，实行所有权和经营权分离，使企业自主经营、自负盈亏，实现国有资产保值增值。按照这一要求，十六大以来，在中央政府层面设立了专门的国有资产监督管理机构，作为国务院授权履行国有资产出资人职责的特设机构。在省、自治区、直辖市和一些设区的市（自治州）的人民政府分别设立国有资产监督管理机构，根据本级人民政府授权代表本级人民政府履行出资人职责。国有资产监督管理机构对授权监管的国有资本履行出资人职责，维护所有者权益,维护企业作为市场主体依法享有的各项权利,督促企业实现国有资本保值增值,防止国有资产流失。这项制度经过几年的实践,取得了明显成效。党的十七大也提出了"完善各类国有资产的管理制度和体制"的要求。按照党的十六大、十七大精神,本法明确规定,国家建立健全与社会主义市场经济发展要求相适应的国有资产管理与监督体制,这仍然是今后经济体制改革的一项重要而艰巨的任务,需要在实践中不断探索。

二、国有资产保值增值考核和重大资产损失责任追究制度,是维护国有资产出资人权益,防止国有资产损失的重要制度。近年来,国务院和地方政府的国有资产监督管理机构在这方面积极探索,初步建立了相关的制度。政府国有资产监督管理机构按照规定的考核指标,对国家出资企业的经营业绩和国有资产保值增值情况进行考核认定;对国家出资企业管理者不履行或者不正确履行职责,造成企业国有资产重大损失的行为进行责任追究。这些制度规定,还需要在进一步总结实践经验的基础上,不断加以完善,以有效保护国有资产出资人权益,防止国有资产损失。

第九条　国家建立健全国有资产基础管理制度。具体办法按照国务院的规定制定。

【释义】　本条是关于建立健全国有资产基础管理制度的规定。

国有资产基础管理工作,主要包括产权界定、产权登记、清产核资、资产统计、资产评估监管、综合评价等内容。产权界定、产权登记是依法确定国有资产的产权边界，明确产权归属的行为。清产核资是国有资产监督管理机构根据国家专项工作要求或者企业特定经济行为的需要，组织企业进行财务清理、财产清查、并依法认定企业的各项资产损益，从而真实反映企业的资产价值和重新核定企业国有资本金的活动。资产统计是对国有资产运营情况进行收集、审核、汇总和分析的行为，是全面掌握国家出资企业发展情况和国有资产分布状况的基础工作。资产评估监管是政府通过制定资产评估行为规则，对评估项目进行核准或者备案等方式对企业资产评估进行监管的行为。通过资产评估，准确体现国有资产的价值，防止国有资产损失。综合评价即综合绩效评价，是以投入产出分析的方法，通过建立综合评价体系，对企业特定期间的盈利能力、资产质量、财务风险、经营增长以及管理状况等进行的综合评判。

国有资产基础管理工作是国家掌握企业国有资产总量、结构、变动和收益等基本情况的重要途径。为保证其准确性、全面性和权威性，应当建立全国统一的、适用于所有履行出资人职责的机构和国家出资企业的国有资产基础管理制度。为此，本条规定，国有资产基础管理制度的具体办法，应按照国务院的规定制定。目前，国务院国有资产监督管理机构和国务院财政部门已经制定了一批国有资产基础管理的规章制度，还需要在总结实践经验的基础上逐步加以完善。

第十条　国有资产受法律保护，任何单位和个人不得侵害。

【释义】　本条是关于保护国有资产的原则规定。

国有财产是全国人民共同的财富，是建设社会主义国家、不断提高人民生活水平的物质基础，依法保护国有资产，是全体人民的共同利益所在。我国法律对国有财产的保护是多层面的。宪法规定："社会主义的公共财产神圣不可侵犯。""国家保护社会主义的公共财产。禁止任何组织或者个人用任何手段侵占或者破坏国家的和集体的财产。"物权法对国有财产的保护作了明确规定。公司法对保障包括国有股东在内的股东的权利和侵害股东权利的责任作了规定。刑法对严重侵害国有资产的行为规定了刑事责任。本法针对实践中存在的侵害国有资产的行为，规定了相应的法律防范和制裁措施。对任何单位和个人侵害国有资产，造成国有资产损失的行为，将依法追究其行政责任、民事责任甚至刑事责任。

第二章　履行出资人职责的机构

第十一条　国务院国有资产监督管理机构和地方人民政府按照国务院的规定设立的国有资产监督管理机构，根据本级人民政府的授权，代表本级人民政府对国家出资企业履行出资人职责。

国务院和地方人民政府根据需要，可以授权其他部门、机构代表本级人民政府对国家出资企业履行出资人职责。

代表本级人民政府履行出资人职责的机构、部门，以下统称履行出资人职责的机构。

【释义】　本条是关于履行出资人职责的机构的规定。

一、本条所称履行出资人职责的机构，是指根据本级人民政府的授权，代表本级人民政府对国家出资企业依法履行出资人职责的机构，包括本级人民政府的国有资产监督管理特设机构和本级人民政府授权的其他部门、机构。

二、本条第一款规定："国务院国有资产监督管理机构和地方人民政府按照国务院的规定设立的国有资产监督管理机构，根据本级人民政府的授权，代表本级人民政府对国家出资企业履行出资人职责。"这里所称"国务院国有资产监督管理机构和地方人民政府按照国务院的规定设立的国有资产监督管理机构”，是指按照全国人大通过的国务院机构改革方案建立的国务院国有资产监督管理委员会，以及地方政府按照国务院的规定设立的地方政府国有资产监督管理委员会。

根据党的十六大提出的“国家要制定法律法规，建立中央政府和地方政府分别代表国家履行出资人职责的国有资产管理体制”的要求，十届全国人大一次会议通过了国务院机构改革方案，据此，国务院和省、设区的市两级地方人民政府相继组建了代表本级人民政府对国家出资企业履行出资人职责的特设机构——国有资产监督管理委员会，按照政企分开、社会公共管理职能与国有资产出资人职能分开、不干预企业依法自主经营的原则，依法对国家出资企业履行出资人职责。各级国资委按照本级人民政府的授权，代表本级人民政府对国家出资企业依法履行出资人职责，为保障出资人权益，防止国有资产损失，促进国有资产的保值增值，发挥了积极作用。从国务院国资委履行出资人职责的中央企业来看，其资产总额、销售收入、实现利润和上缴税金，分别由 2002 年国资委组建前的 7.1 万亿元、3.4 万亿元、2405.5 亿元和 2914.8 亿元上升到 2007 年的 14.8 万亿元、9.8 万亿元、9968.5 亿元和 8303.2 亿元。在 2007 年世界 500 强企业中，我国中央企业有 16 家，比国务院国资委组建前增加 10 家，推动了我国国有资本向关系国民经济命脉和国家安全的重要行业和关键领域的集中，推进了国有企业的改革和发展。各级国有资产监督管理机构应当依照本法和有关法律、行政法规的规定，根据本级人民政府的授权，继续履行好国有资产出资人代表的职责。

三、鉴于我国国有资产数量巨大,分布在不同的领域和行业,涉及面广,国务院和地方人民政府在授权国资委履行出资人职责的同时,还根据需要,授权其他有关部门、机构对某些领域的国家出资企业履行出资人职责。例如,按照国务院的有关规定,国务院授权财政部对金融行业的国有资产和中国对外文化集团公司、中国出版集团公司、中国烟草总公司等企业的国有资产进行监管,中国邮政集团公司暂由财政部代表国务院履行出资人职责等。此外,按照《企业国有资产监督管理暂行条例》的规定,"企业国有资产较少的市、自治州,经省、自治区、直辖市人民政府批准,可以不单独设立国有资产监督管理机构"。因此,本法第二款规定,国务院和有关地方人民政府根据需要,可以授权其他有关部门、机构,代表本级政府对国家出资企业履行出资人职责。这一规定符合目前的实际情况,也为国有资产监督管理体制的进一步完善留有空间。国务院和地方人民政府授权对国家出资企业履行出资人职责的其他部门、机构,应当根据本级人民政府的授权,代表本级人民政府依法切实履行好出资人职责。

第十二条　履行出资人职责的机构代表本级人民政府对国家出资企业依法享有资产收益、参与重大决策和选择管理者等出资人权利。

履行出资人职责的机构依照法律、行政法规的规定,制定或者参与制定国家出资企业的章程。

履行出资人职责的机构对法律、行政法规和本级人民政

府规定须经本级人民政府批准的履行出资人职责的重大事项,应当报请本级人民政府批准。

【释义】 本条是关于履行出资人职责的机构的基本职责的规定。

一、依照本条规定,国务院和地方人民政府授权的对国家出资企业履行出资人职责的机构,根据本级人民政府的授权,代表本级人民政府对国家出资企业履行出资人职责,主要包括:

1. 对国家出资企业依法享有资产收益、参与重大决策和选择管理者等出资人权利。"资产收益"权,是指履行出资人职责的机构按照国家对企业的出资额或者所持股份,代表国家通过企业盈余分配取得股息和红利的权利。"参与重大决策"权,是指履行出资人职责的机构依照本法第三十一条、第三十二条、第三十三条的规定,根据国家出资企业的不同类型,对国家出资企业的合并、分立、改制、上市、增加或者减少注册资本、发行债券、进行重大投资、为他人提供大额担保、转让重大财产、进行大额捐赠、分配利润,以及解散、申请破产等重大事项,依法作出决定;或者在国家出资企业召开股东会会议、股东大会会议就上述事项作出决议时,向其委派参会的股东代表作出指示,要求其按照指示提出提案、发表意见和行使表决权。"选择管理者"的权利,是指履行出资人职责的机构依照本法第四章规定的条件、程序和权限,任免国有独资企业的经理、副经理、财务负责人和其他高级管理人员;任免国有独资公司的董事长、副董事长、董事、监事会主席和监事;向国有资本控股公司、国有资本参股公司的股东会、股东大会提出董事、监事人选；在国有资本控股公司、国有资本参股公司召开股东会会议、股东大会会议选举公司董事、监事人选时，代表本级人民政府委派股东代表参加会议，提出提案、发表意见及行使表决权的权利。

2. 依照法律、行政法规的规定，制定或者参与制定国家出资企业的章程。依照本法、公司法和其他有关法律、行政法规的规定，国有独资企业、国有独资公司的章程由履行出资人职责的机构制定或者批准；国有资本控股公司、国有资本参股公司的章程由出资人（股东或者发起人）共同制定。企业章程对企业、企业出资人、董事、监事、高级管理人员具有约束力。履行出资人职责的机构应当依照本法、公司法和其他有关法律、行政法规的规定，代表本级人民政府通过制定或者参与制定国家出资企业的章程，建立权责明确、有效制衡的企业内部监督管理和风险控制制度，以维护国有资产出资人权益。

二、依照本法规定，代表国家对国家出资企业履行出资人职责的是国务院和地方人民政府，政府履行出资人职责的机构是根据本级人民政府的授权，代表本级政府对国家出资企业履行出资人职责。履行出资人职责的机构应在法律、行政法规和政府授权的范围内履行职责，国家出资企业一些关系出资人权益的重大事项，仍然要由政府作出决定。为此，本条规定，履行出资人职责的机构对法律、行政法规和本级人民政府规定须经本级人民政府批准的履行出资人职责的重大事项，应当报请本级人民政府批准。例如，本法第三十四条、第四十条规定，重要的国有独资企业、国有独资公司、国有资本控股公司的合并、分立、改制、解散、申请破产以及法律、行政法规和本级人民政府规定应当由履行出资人职责的机构报经本级人民政府批准的重大事项，履行出资人职责的机构在作出决定或者向其委派的股东代表作出指示前，应当报请本级人民政府批准。第五十三条规定，履行出资人职责的机构决定转让全部国有资产的，或者转让部分国有资产致使国家对该企业不再具有控股地位的，应当报请本级人民政府批准。履行出资人职责的机构依法履行职责，应当做到既不缺位也不越位 。

第十三条　履行出资人职责的机构委派的股东代表参加国有资本控股公司、国有资本参股公司召开的股东会会议、股东大会会议，应当按照委派机构的指示提出提案、发表意见、行使表决权，并将其履行职责的情况和结果及时报告委派机构。

【释义】 本条是对履行出资人职责的机构委派的股东代表履职要求的规定。

一、按照国有企业进行现代企业制度改革的要求，有相当多的国有企业已改制为国有资本控股或者参股的有限责任公司或股份有限公司。依照公司法的规定，公司的重大事项，应由有限责任公司的股东会会议、股份有限公司的股东大会会议决定。由于国有控股或参股的公司数量多、分布广，履行出资人职责的机构不可能都由自己的工作人员去参加每一个国有资本控股公司、国有资本参股公司召开的股东会会议、股东大会会议，直接行使出资人权利。为了从制度上解决国有资产出资人代表到位，行使国有资产出资人权利，承担维护国有资产出资人权益的责任问题，本条规定，履行出资人职责的机构可以委派股东代表参加国有资本控股公司、国有资本参股公司召开的股东会会议、股东大会会议，依法行使出资人权利。

股东代表由谁担任，本法未作规定，可以由履行出资人职责的机构根据实际情况确定。公司法规定，股东可以委托代理人出席股东大会会议，代理人应当向公司提交股东授权委托书，并在授权范围内行使表决权。履行出资人职责的机构委托本机构工作人员以外的其他人员作为股东代表出席股东会、股东大会会议的，应当出具履行出资人职责的机构的授权委托书。

履行出资人职责的机构委派的股东代表参加国有资本控股公司、国有资本参股公司召开的股东会会议、股东大会会议，应当依法履行职责，按照委派机构的指示提出提案、发表意见、行使表决权，并将其履行职责的情况和结果及时报告委派机构。履行出资人职责的机构委派的股东代表违反本条规定，未按照委派机构的指示履行职责，造成国有资产损失的，应当依法承担赔偿责任；属于国家工作人员的，并依法给予处分。

第十四条　履行出资人职责的机构应当依照法律、行政法规以及企业章程履行出资人职责，保障出资人权益，防止国

有资产损失。

履行出资人职责的机构应当维护企业作为市场主体依法享有的权利，除依法履行出资人职责外，不得干预企业经营活动。

【释义】 本条是关于履行出资人职责的机构履职要求的规定。

本条对履行出资人职责的机构的履职要求是：

1. 履行出资人职责的机构应当依照法律、行政法规以及企业章程履行出资人职责，保障出资人权益，防止国有资产损失。法律、行政法规的有关规定是履行出资人职责的机构履行出资人职责的基本依据。履行出资人职责的机构应当依照本法及公司法等有关法律、行政法规的规定，依法履行职责。企业章程是由企业出资人（股东或者发起人）共同制定，体现全体出资人共同意志的重要文件，对企业、企业出资人、董事、监事、高级管理人员都具有约束力。履行出资人职责的机构代表本级人民政府对国家出资企业履行出资人职责，制定或参与制定企业章程，同时也要受章程的约束，按照依法制定的章程的规定履行出资人职责。履行出资人职责的机构应当以切实保障出资人权益为履职目标，防止国有资产损失，促进国有资产保值增值。

2. 履行出资人职责的机构应当维护企业作为市场主体依法享有的权利，除依法履行出资人职责外，不得干预企业经营活动。国家出资企业作为市场主体对其动产、不动产和其他财产依照法律、行政法规以及企业章程享有占有、使用、收益和处分的权利，其依法享有的经营自主权和其他合法权益受法律保护。代表本级人民政府对国家出资企业履行出资人职责的机构，除依法履行出资人职责，即依法行使资产收益、参与重大决策和选择管理者等出资人权利外，不得干预企业经营活动。

本条是对履行出资人职责的机构依法履行出资人职责提出的法定要求，履行出资人职责的机构应当认真执行。履行出资人职责的机构不依照法律、行政法规的规定履行出资人职责的，如不按照法定的任职条件，任命或建议任命国家出资企业管理者的，或者侵占、截留、挪用国家出资企业的资金或应当上缴的国有资本收入的，或者违反法定的权限、程序，决定国家出资企业重大事项，造成国有资产损失的，或者有其他不依法履行出资人职责的行为，造成国有资产损失的，对其直接负责的主管人员和其他直接责任人员依法给予处分。履行出资人职责的机构的工作人员玩忽职守、滥用职权、徇私舞弊，尚不构成犯罪的，依法给予处分；构成犯罪的，依法追究刑事责任。

第十五条　履行出资人职责的机构对本级人民政府负责，向本级人民政府报告履行出资人职责的情况，接受本级人民政府的监督和考核，对国有资产的保值增值负责。

履行出资人职责的机构应当按照国家有关规定，定期向本级人民政府报告有关国有资产总量、结构、变动、收益等汇总分析的情况。

【释义】 本条是关于履行出资人职责的机构对本级人民政府负责的规定。

履行出资人职责的机构根据本级人民政府的授权,代表本级人民政府对国家出资企业履行出资人职责,应当对本级人民政府负责。第一,其权利是本级人民政府授予的;第二,其身份是代表本级人民政府;第三,其履行职责的对象是国家出资企业。因此,履行出资人职责的机构对本级人民政府负责是其法定义务。

履行出资人职责的机构对本级人民政府负责,一是要根据本级人民政府的授权,代表本级人民政府对国家出资企业履行好出资人职责,行使好出资人依法享有的资产收益、参与重大决策和选择管理者等出资人权利,不得怠于履行出资人职责,更不得玩忽职守、滥用职权、徇私舞弊。二是对法律、行政法规和本级人民政府规定须经本级人民政府批准的履行出资人职责的重大事项,应当报请本级人民政府批准,如本法第三十四条、第四十条规定,重要的国有独资企业、国有独资公司、国有资本控股公司的合并、分立、改制、解散、申请破产以及法律、行政法规和本级人民政府规定应当由履行出资人职责的机构报经本级人民政府批准的履行出资人职责的重大事项,履行出资人职责的机构在作出决定或者向其委派参加国有资本控股公司股东会、股东大会的股东代表作出指示前,应当报请本级人民政府批准;第五十三条规定,履行出资人职责的机构决定转让全部国有资产的,或者转让部分国有资产致使国家对该企业不再具有控股地位的,应当报经本级人民政府批准。对上述应当事先报请本级人民政府批准的事项，履行出资人职责的机构不得未经批准，擅自作出决定。三是要对国有资产保值增值负责，即通过依法履行出资人职责和加强自律管理，防止因非市场因素导致国有资产损失。四是要及时向本级人民政府报告履行出资人职责的情况，主要是资产收益、参与重大事项决策和选择管理者的情况，并接受本级人民政府的监督和考核。同时，为了维护国家基本经济制度，巩固和发展国有经济，履行出资人职责的机构应当按照国家有关规定，定期向本级人民政府报告有关国有资产总量、结构、变动、收益等汇总分析的情况，以便本级人民政府了解情况，适时采取调控措施，推动国有资本向关系国民经济命脉和国家安全的重要行业和关键领域集中，优化国有经济布局和结构，推动国有企业改革和发展，提高国有经济的整体素质，增强国有经济的控制力、影响力，发挥国有经济在国民经济中的主导作用，促进社会主义市场经济持续、稳定、协调发展。

履行出资人机构应当恪尽职守，承担起对本级人民政府应负的责任。

第三章 国家出资企业

第十六条 国家出资企业对其动产、不动产和其他财产依照法律、行政法规以及企业章程享有占有、使用、收益和处分的权利。

国家出资企业依法享有的经营自主权和其他合法权益受法律保护。

【释义】 本条是关于国家出资企业的财产权利以及合法权益受法律保护的规定。

一、国家出资企业,不论是国有独资企业、国有独资公司,还是国有资本控股公司、国有资本参股公司,都是企业法人,有独立的财产,能够依法独立享有民事权利和承担民事责任。公司法第三条规定,公司是企业法人,有独立的法人财产,享有法人财产权。物权法第六十八条规定,企业法人对其不动产和动产依照法律、行政法规以及章程享有占有、使用、收益和处分的权利。由于企业法人的财产除物权法规定的动产、不动产外,还包括知识产权等其他财产,因此,本条在公司法和物权法的基础上,规定国家出资企业对其动产、不动产和其他财产依照法律、行政法规以及企业章程享有占有、使用、收益和处分的权利。

在本法中对国家出资企业的财产权利作出规定，有利于明确地将国家出资企业的财产权利与出资人对国家出资企业的权利区分开来。国家出资企业的出资人将其动产、不动产或者其他财产投入到企业，就失去了对该项财产的直接支配权，同时因出资而对企业享有资产收益、参与重大决策和选择管理者等出资人权利。出资人投入到企业的财产，即构成国家出资企业的法人财产，国家出资企业对其财产依照法律、行政法规以及企业章程享有占有、使用、收益和处分的权利。

国家出资企业对其财产享有直接支配和排他的权利，包括四项内容：一是占有，即国家出资企业对其财产予以支配和控制；二是使用，即国家出资企业对其财产进行运用，以发挥财产的使用价值；三是收益，即国家出资企业对其财产通过占有、使用，取得经济效益；四是处分，即国家出资企业对其财产予以处置，如转让、赠与他人等。

二、国家出资企业作为企业法人，除对其财产依法享有占有、使用、收益、处分的权利外，还享有独立自主经营的权利，即通常所说的经营自主权，主要是独立自主开展经营活动、自主决定经营事务的权利。此外，国家出资企业还依法享有知识产权、用益物权、担保物权等权利。国家出资企业的各种合法权益均受法律保护。各级人民政府及其有关部门应当维护国家出资企业的合法权益。任何单位和个人不得以任何方式侵害国家出资企业的合法权益。国家出资企业在其合法权益受到不法侵害时，有权要求停止侵害并赔偿损失，依法追究侵害人的责任。

第十七条　国家出资企业从事经营活动，应当遵守法律、行政法规，加强经营管理，提高经济效益，接受人民政府及其有关部门、机构依法实施的管理和监督，接受社会公众的监督，承担社会责任，对出资人负责。

国家出资企业应当依法建立和完善法人治理结构，建立健全内部监督管理和风险控制制度。

【释义】　本条是关于国家出资企业基本义务的规定。

一、国家出资企业作为社会主义市场经济活动的主体，在享有权利的同时，也要承担相应的义务和社会责任。本条规定的国家出资企业的基本义务，包括一般企业应遵守的义务，如遵守法律、行政法规，接受人民政府及其有关部门、机构依法实施的管理和监督，接受社会公众的监督，承担社会责任等，这些义务与公司法规定的公司的基本义务是相同的。同时，本条还规定国家出资企业应当加强经营管理，提高经济效益，对出资人负责，以体现维护国有资产权益的要求。

二、根据本条规定，国家出资企业的基本义务包括：

1. 遵守法律、行政法规。国家出资企业作为市场主体，应当在法律范围内活动，遵守法律、行政法规是国家出资企业最基本的义务。

2. 加强经营管理，提高经济效益。企业作为自主经营、自负盈亏的经济组织，以追求经济效益为目标。国家出资企业也应当加强经营管理，努力提高经济效益，实现经济资源的有效利用。

3. 接受人民政府及其有关部门、机构依法实施的管理和监督。国家出资企业的经营活动受人民政府及其有关部门、机构依法进行的管理和监督，以有效维护国家利益、社会公共利益，维护市场经济秩序。国家出资企业应当接受人民政府及其有关部门、机构依法实施的管理和监督。

4. 接受社会公众的监督。国家对国家出资企业的出资来源于公众；同时，国家出资企业的经营活动会对社会公众的利益产生重要影响，因此，国家出资企业的行为应当受到社会公众的监督。

5. 承担社会责任。这里所说的承担社会责任，是指企业在履行法律、行政法规规定的强制性义务的基础上，为实现自身和社会可持续发展，在道德规范、商业伦理方面应承担的社会责任，包括防止环境污染、保护生态、维护职工权益以及参与社会公益事业等。

6. 对出资人负责。出资人的出资是企业存在的前提和基础，国家出资企业应当努力提高经济效益，对出资人负责，维护出资人的资产收益、参与重大决策、选择管理者等各项权利。

三、为了促进国家出资企业建立与社会主义市场经济发展要求相适应的现代企业制度，促进国家出资企业的改革和发展，更好地维护国有资产权益，本条第二款对国家出资企业建立和完善法人治理结构提出了明确要求。所谓法人治理结构，是指为保证企业有效运行，由法律和章程规定的有关企业组织机构之间权力分配与制衡的制度体系。公司是社会化大生产和市场经济发展的产物，是现代企业中最重要的组织形式，其股东会、董事会、监事会的机构设置和权利配备，形成了所有权与经营权相分离、各机构之间有效监督制约的权力运行机制。20 世纪 90 年代以来，经过不断改革和公司法的颁布实施，我国的国家出资企业中很多全民所有制企业改制为国有独资公司、有限责任公司和股份有限公司，法人治理结构逐步完善。但同时，也还有一些未改制的全民所有制企业，未建立起有效的内部监督制衡机制，企业运行效率不高；有些虽然已经改制为公司制企业，但组织机构不健全，权利配置不合理，议事规则、决策程序不完善，运作不规范。为推进国家出资企业建立健全符合现代企业制度要求的治理结构，本条规定，国家出资企业应当依法建立和完善法人治理结构，不断提高企业管理的科学性、有效性。

四、为保证企业经营管理合法合规、资产安全、财务报告及相关信息真实完整，提高经营效率，促进企业实现发展战略，国家出资企业还应当依法建立健全内部监督管理和风险控制制度。所谓内部监督管理，是指企业对内部管理制度的建立和实施情况进行监督检查，评价内部管理制度的有效性，发现内部管理缺陷并及时加以改进的活动。所谓内部风险控制是指企业及时识别、系统分析经营管理活动中的风险，并根据风险评估结果采取相应的控制措施，将风险控制在可承受度之内的活动。企业内部监督管理和风险控制应当贯穿决策、执行和监督的全过程，覆盖企业各种业务和事项，在内部机构设置、权责分配、业务流程等方面形成有效的监督制约机制，并与企业经营规模、业务范围、竞争状况和风险水平等相适应。

第十八条　国家出资企业应当依照法律、行政法规和国务院财政部门的规定，建立健全财务、会计制度，设置会计账簿，进行会计核算，依照法律、行政法规以及企业章程的规定向出资人提供真实、完整的财务、会计信息。

国家出资企业应当依照法律、行政法规以及企业章程的规定，向出资人分配利润。

【释义】　本条是关于国家出资企业遵守财务、会计制度并向出资人分配利润的规定。

一、企业财务、会计制度是指以货币为计量单位，对企业的财务活动和经营状况进行记录、核算、分析，为企业管理者及其他利害关系人提供财务、会计信息的制度。要求国家出资企业建立规范的财务、会计制度，保证财务、会计信息的真实、准确、完整，是国家出资企业的出资人了解企业经营情况，监督企业管理者行使职权，保护自身利益的重要途径。企业建立规范的财务、会计制度，能够为企业的潜在投资者和交易对方在向企业投资或者与企业进行交易时提供准确的信息，有利于债权人更好地评估企业的财产和信用状况，并采取措施减少和避免交易风险，保证债权的实现。对企业管理者来讲，真实、准确、全面的财务、会计信息是其采取经营管理措施、进行经营决策的重要依据。对政府及政府有关部门来讲，企业财务、会计信息是其对企业进行监督检查、查处企业违法行为的重要依据。因此，国家出资企业应当依照法律、行政法规和国务院财政部门的规定，建立健全财务、会计制度。

二、国家出资企业财务、会计制度的主要内容包括：(1)设置会计账簿。会计账簿是由一定格式、相互联系的账页组成,以会计凭证为依据,用以序时地、分类地、全面地、系统地记录、反映和监督企业经济业务活动情况的簿籍。设置会计账簿是进行会计核算和会计监督不可缺少的程序。国家出资企业必须依照法律、行政法规和国务院财政部门的规定设置会计账簿,并保证会计账簿真实、完整,不得在法定的会计账簿之外另设会计账簿。(2)进行会计核算。会计核算是指以货币为计量单位,运用会计方法,对企业经营活动进行连续、系统、全面地记录、计算和分析,编制财务会计报告的活动。国家出资企业必须根据实际发生的经济业务事项填制会计凭证,登记会计账簿,编制财务会计报告。办理经济业务事项,必须填制或者取得原始凭证,根据经过审核的原始凭证及有关资料编制记账凭证。登记会计账簿,必须以经过审核的会计凭证为依据。编制财务会计报告应当根据经过审核的会计账簿记录和有关资料编制,并符合财务、会计制度关于财务会计报告的编制要求、提供对象和提供期限的规定。(3)依照法律、行政法规以及企业章程向出资人提供真实、完整的财务、会计信息。向出资人提供真实、完整的财务、会计信息,是维护出资人权益的重要手段。根据公司法的规定,公司应当在每一会计年度终了时编制财务会计报告,并依法经会计师事务所审计。有限责任公司应当依照公司章程规定的期限将财务会计报告送交各股东。股份有限公司的财务会计报告应当在召开股东大会年会的二十日前置备于本公司,供股东查阅。公开发行股票的股份有限公司必须公告其财务会计报告。上市公司必须依照法律、行政法规的规定，公开其财务状况、经营情况及重大诉讼，在每一会计年度内半年公布一次财务会计报告。国有独资企业也应当按照国家有关规定以及企业章程向履行出资人职责的机构提供财务、会计信息。

三、从企业取得利润，是出资人设立企业的根本目的，是出资人利益的实现形式。国家出资企业应当依照法律、行政法规以及企业章程的规定，向出资人分配利润。根据公司法的规定，国家出资企业中，有限责任公司股东按照实缴的出资比例分取红利，但全体股东约定不按照出资比例分取红利的除外；股份有限公司按照股东持有的股份比例分配红利，但股份有限公司章程规定不按持股比例分配的除外。关于公司利润分配方案，国有独资公司应当经履行出资人职责的机构批准，有限责任公司和股份有限公司应当经股东会、股东大会审议批准。公司的当年税后利润，必须按照规定在弥补亏损和提取公积金后才能分配。在国有企业改革过程中，由于企业债务负担沉重，国有独资企业在很长一段时期内，只向国家缴纳税收，不向国家分配利润。随着国有企业改革的不断深化、企业效益的提高以及国有资本经营预算制度的建立，国有独资企业应当根据企业章程的规定以及政府或者履行出资人职责的机构的决定向国家分配利润。

第十九条　国有独资公司、国有资本控股公司和国有资本参股公司依照《中华人民共和国公司法》的规定设立监事会。国有独资企业由履行出资人职责的机构按照国务院的规

定委派监事组成监事会。

国家出资企业的监事会依照法律、行政法规以及企业章程的规定，对董事、高级管理人员执行职务的行为进行监督，对企业财务进行监督检查。

【释义】 本条是关于国家出资企业监事会的规定。

一、监事会是国家出资企业的内部监督机构，行使对经营管理者的监督权，以维护企业和出资人的合法权益。依照公司法的规定，国家出资企业中的国有独资公司、国有资本控股公司和国有资本参股公司应当设立监事会（股东人数较少或者规模较小的有限责任公司，可以设一至二名监事，不设监事会）。其中，国有独资公司的监事会成员不得少于五人，职工代表的比例不得低于三分之一，具体比例由公司章程规定；监事会成员由履行出资人职责的机构委派，职工代表由公司职工代表大会选举产生；监事会主席由履行出资人职责的机构从监事会成员中指定。有限责任公司和股份有限公司的监事会成员不得少于三人，职工代表的比例不得低于三分之一，具体比例由公司章程规定，职工代表由公司职工通过职工代表大会、职工大会或者其他形式民主选举产生。

依照全民所有制工业企业法的规定，国有独资企业即全民所有制企业实行厂长（经理）负责制，企业通过职工代表大会和其他形式，实行民主管理，不要求设立专门的内部监督机构。随着国有企业改革的不断深化，为了加强对国有独资企业及其负责人的监督，国务院于2000年3月颁布的《国有企业监事会暂行条例》规定，履行出资人职责的机构对大型重点国有独资企业委派监事组成监事会，监事会成员不少于三人，由主席一人、监事若干人组成。

二、监事会作为国家出资企业的监督机构，其主要职责是：

1. 对董事、高级管理人员执行职务的行为进行监督。为了确保董事、高级管理人员依法履职，监事会应当对董事、高级管理人员执行职务的行为进行监督。如果发现董事、高级管理人员在执行职务过程中，存在违反法律、行政法规、企业章程情形的，有权向该董事、高级管理人员提出，要求其予以纠正，并有权提出罢免董事、高级管理人员的建议。

2. 对企业财务进行监督检查。监事会成员有权查阅企业的会计凭证、会计账簿、财务会计报告和其他财务会计资料，并进行审核，发现有虚假记载、重大遗漏的，有权要求企业的董事、高级管理人员予以说明并纠正。

此外，监事会的职权还包括：按照规定提议召开及召集、主持临时股东会、股东大会会议，向股东会会议、股东大会会议提出提案，对董事、高级管理人员提起诉讼等。监事会发现公司经营情况异常，可以进行调查；必要时，可以聘请会计师事务所等协助其工作。

国家出资企业的监事会行使监督职权应当遵守法律、行政法规以及企业章程的规定，不得超越法律、行政法规以及企业章程规定的职权，不得违反法律、行政法规以及企业章程规定的程序和规则。

第二十条　国家出资企业依照法律规定，通过职工代表大会或者其他形式，实行民主管理。

【释义】　本条是关于国家出资企业职工民主管理的规定。

一、职工民主管理是职工依法通过一定的组织形式，参加企业管理，行使民主管理权利的活动。坚持以职工代表大会为基本形式的职工民主管理制度，是推进基层民主建设，维护职工合法权益、构建和谐社会的必然要求，是加强企业管理、提高经济效益、促进企业健康发展重要途径。

职工民主管理是我国宪法和法律确立的企业管理的重要制度。宪法第十六条规定，国有企业依照法律规定，通过职工代表大会和其他形式，实行民主管理。全民所有制工业企业法和工会法规定，国有企业职工代表大会是企业实行民主管理的基本形式，是职工行使民主管理权利的机构。全民所有制工业企业法还具体规定了国有独资企业职工代表大会的职权。公司法规定，公司应当依照宪法和有关法律的规定，通过职工代表大会或者其他形式，实行民主管理；并对公司的职工董事和职工监事等制度作了具体规定。本法也对国家出资企业的职工民主管理作了明确规定。

二、本法对国家出资企业职工民主管理的规定包括：(1)对企业重大事项提出意见和建议，即国家出资企业的合并、分立、改制、解散、申请破产等重大事项，应当通过职工代表大会或者其他形式听取职工的意见和建议。(2)参与决定企业改制的职工安置方案，即企业改制的职工安置方案应当经职工代表大会或者职工大会审议通过。(3)选举职工董事、职工监事,即国家出资企业中应当由职工代表出任的董事、监事,应当依照有关法律、行政法规的规定由职工民主选举产生。国家出资企业还应当严格遵守有关法律、行政法规的规定,切实保障职工参与企业民主管理的权利,维护职工合法权益。

第二十一条 国家出资企业对其所出资企业依法享有资产收益、参与重大决策和选择管理者等出资人权利。

国家出资企业对其所出资企业,应当依照法律、行政法规的规定,通过制定或者参与制定所出资企业的章程,建立权责明确、有效制衡的企业内部监督管理和风险控制制度,维护其出资人权益。

【释义】 本条是关于国家出资企业对其所出资企业行使出资人权利、维护出资人权益的规定。

目前,已有相当多的国有或国有控股企业拥有自己出资的子企业。与所有企业的出资人一样,国家出资企业对其所出资企业享有资产收益、参与重大决策和选择管理者等出资人权利。国家出资企业对其所出资的企业正确、有效行使出资人权利,对于维护国家出资企业的权益,进而维护国家出资企业的国有资产出资人权益,具有十分重要的作用。

国家出资企业对其所出资企业要行使好出资人权利,维护好自身利益,通过制定或者参与制定所出资企业的章程,在所出资企业建立权责明确、有效制衡的企业内部监督管理和风险控制制度至关重要，本条第二款对此提出了明确要求。企业章程是记载企业组织和行为基本规则的法律文件，对企业、出资人、董事、监事、高级管理人员均具有约束力。制定或者参与制定所出资企业的章程是出资人的一项重要权利，也是维护自身权益的重要手段。国家出资企业在制定或者参与制定所出资企业的章程时，应当合理设置企业组织机构，合理配置各机构之间的权力，明确各机构的运行规则，建立权责明确、有效制衡的内部监督管理制度。同时，还应当建立企业内部风险识别、分析和控制制度，保证企业合法合规经营，保障企业资产安全，维护其出资人权益。

第四章　国家出资企业管理者的选择与考核

第二十二条　履行出资人职责的机构依照法律、行政法规以及企业章程的规定，任免或者建议任免国家出资企业的下列人员：

（一）任免国有独资企业的经理、副经理、财务负责人和其他高级管理人员；

（二）任免国有独资公司的董事长、副董事长、董事、监事会主席和监事；

（三）向国有资本控股公司、国有资本参股公司的股东会、股东大会提出董事、监事人选。

国家出资企业中应当由职工代表出任的董事、监事，依照有关法律、行政法规的规定由职工民主选举产生。

【释义】　本条是关于选择国家出资企业管理者的规定。

一、选择企业管理者，是履行出资人职责的机构对国家出资企业的一项重要权利，也是履行出资人职责的机构的一项重要职责。这项权利的正确、有效行使，对于促进国家出资企业健康发展，维护国有资产出资人权益，具有重要意义。国家

出资企业组织形式不同,履行出资人职责的机构选择管理者的权限、方式也不同,本条第一款对此分别作出了规定:

1. 任免国有独资企业的经理、副经理、财务负责人和其他高级管理人员。根据全民所有制工业企业法的规定,国有独资企业实行厂长(经理)负责制,企业建立以厂长为首的生产经营管理系统。除国务院另有规定外,厂长由政府主管部门委任或者招聘,或者由企业职工代表大会选举产生。副厂级行政领导干部由厂长提请政府主管部门任免或者聘任、解聘。与全民所有制工业企业法的规定相衔接,本条规定,国有独资企业的经理、副经理、财务负责人和其他高级管理人员组成,由履行出资人职责的机构任免。

2. 任免国有独资公司的董事长、副董事长、董事、监事会主席和监事。国有独资公司不设股东会,由履行出资人职责的机构行使股东会职权。根据公司法的规定,国有独资公司的董事会和监事会成员,除职工代表外,由履行出资人职责的机构委派;董事长、副董事长和监事会主席由履行出资人职责的机构从董事会成员、监事会成员中指定。与公司法的规定相衔接,本条规定,国有独资公司的董事长、副董事长、董事、监事会主席和监事由履行出资人职责的机构任免。

3. 向国有资本控股公司、国有资本参股公司的股东会、股东大会提出董事、监事人选。公司法规定,股东会、股东大会选举和更换非由职工代表担任的董事、监事。公司股东会、股东大会选举或者更换董事、监事,其人选通常是由公司股东依照公司章程规定向股东大会提名的。因此,国家出资企业中的国有资本控股公司、国有资本参股公司，无论是有限责任公司还是股份有限公司，履行出资人职责的机构都可以向公司股东会、股东大会提出董事、监事人选。

二、依照本条二款和公司法等法律、行政法规的规定，国家出资企业的董事会、监事会成员，除由股东代表出任外，分不同情况，有的应当有职工代表，有的可以有职工代表：国有独资公司的董事会成员中应当有职工代表；监事会成员中也应当有职工代表，其比例不得低于监事会成员的三分之一，具体比例由公司章程规定；董事会、监事会成员中的职工代表均由职工代表大会选举产生。两个以上的国有企业或者两个以上的其他国有投资主体投资设立的有限责任公司，其董事会成员中应当有职工代表；其他有限责任公司董事会成员中可以有职工代表；有限责任公司监事会中应当有职工代表，其比例不得低于监事会成员的三分之一，具体比例由章程规定；职工代表由职工通过职工代表大会、职工大会或者其他形式民主选举产生。股份有限公司董事会中可以有职工代表；监事会中应当有职工代表，其比例不得低于监事会成员的三分之一，具体比例由公司章程规定；职工代表由职工通过职工代表大会、职工大会或者其他形式民主选举产生。根据《国有企业监事会暂行条例》的规定，国有独资企业监事会中可以有职工代表担任的监事，职工代表由企业职工代表大会民主选举产生。

第二十三条　履行出资人职责的机构任命或者建议任命

的董事、监事、高级管理人员，应当具备下列条件：

（一）有良好的品行；

（二）有符合职位要求的专业知识和工作能力；

（三）有能够正常履行职责的身体条件；

（四）法律、行政法规规定的其他条件。

董事、监事、高级管理人员在任职期间出现不符合前款规定情形或者出现《中华人民共和国公司法》规定的不得担任公司董事、监事、高级管理人员情形的，履行出资人职责的机构应当依法予以免职或者提出免职建议。

【释义】 本条是关于国家出资企业管理者任职条件的规定。

国家出资企业的董事、监事、高级管理人员组成企业的经营决策机构、监督机构和业务执行机构，负责企业的经营管理和监督，有权依照法律、行政法规以及企业章程的规定，处理企业经营管理中的重大事项，其素质和能力如何，对国家出资企业的经营业绩，进而对出资人权益关系重大。为保证国家出资企业的董事、监事、高级管理人员忠实、勤勉履行职责，维护国有资产出资人权益，本条对履行出资人职责的机构任命或者建议任命的董事、监事、高级管理人员的条件提出了明确要求：

1. 有良好的品行。品行是人们思想和行为上有关善与恶、光荣与耻辱、正义与非正义等方面的观念与原则，它依靠社会舆论、内心信念和传统习惯来维持与实现。一个人只有具备良好的品行才会行为端正、遵纪守法。企业管理者仅有具备良好的道德与品行，才能够自觉守法经营，自觉遵行忠实义务和勤勉义务，切实维护企业利益和出资人权益。因此，履行出资人职责的机构应当任命或者建议任命具有良好品行的人员担任国家出资企业的董事、监事、高级管理人员。

2. 有符合职位要求的专业知识和工作能力。现代社会科技迅猛发展，市场信息迅速变化，市场竞争日趋激烈，经营管理者的专业素质和能力决定了企业的经济效益和发展前景。国家出资企业的管理者仅具有良好的品行是不够的，还应当具有较高的与其职位要求相适应的专业知识和工作能力，这是企业建立竞争优势、提高企业经营效率和经济效益的必要条件。因此，履行出资人职责的机构应当任命或者建议任命具有符合职位要求的专业知识和工作能力的人员担任国家出资企业的董事、监事、高级管理人员。

3. 有能够正常履行职责的身体条件。企业管理者只有拥有健康的身体，才能够精力充沛地履行职责，完成自己的经营管理任务。履行出资人职责的机构应当任命或者建议任命具有能够正常履行职责的身体条件的人员担任国家出资企业的董事、监事、高级管理人员。正常履行职责的身体条件，应当根据企业的不同情况和管理者的不同职位要求来确定。

4. 法律、行政法规规定的其他条件。除上述条件外，有关法律、行政法规对一些企业的管理者的任职条件作了规定。比如，证券法规定，证券公司的董事、监事、高级管理人员应当在任职前取得国务院证券监督管理机构核准的任职资格；证券投资基金法规定，证券投资基金公司的经理和其他高级管理人员应当具有基金从业资格和三年以上与其所任职务相关的工作经历。履行出资人职责的机构任命或者建议任命的相关国家出资企业的董事、监事、高级管理人员还应当具备法律、法律行政法规规定的条件。

国家出资企业的管理者在任职时具备任职条件,但在任职期间因各种原因不再具备本条第一款规定的任职条件,或者出现公司法规定的不得担任公司董事、监事、高级管理人员情形的,履行出资人职责的机构应当依法予以免职或者提出免职建议。公司法规定的不得担任董事、监事、高级管理人员的情形是:(1)无民事行为能力或者限制民事行为能力;(2)因贪污、贿赂、侵占财产、挪用财产或者破坏社会主义市场经济秩序,被判处刑罚,执行期满未逾五年,或者因犯罪被剥夺政治权利,执行期满未逾五年;(3)担任破产清算的公司、企业的董事或者厂长、经理,对该公司、企业的破产负有个人责任的,自该公司、企业破产清算完结之日起未逾三年;(4)担任因违法被吊销营业执照、责令关闭的公司、企业的法定代表人,并负有个人责任的,自该公司、企业被吊销营业执照之日起未逾三年;(5)个人所负数额较大的债务到期未清偿。

第二十四条　履行出资人职责的机构对拟任命或者建议任命的董事、监事、高级管理人员的人选,应当按照规定的条件和程序进行考察。考察合格的,按照规定的权限和程序任命或者建议任命。

【释义】　本条是关于国家出资企业管理者任命考察的

规定。

履行出资人职责的机构拟任命或者建议任命的国家出资企业管理者的人选，不论是从国家出资企业内部选择，还是从其他企业、有关机构选择，都应当对该人选进行严格考察。考察应当依照法定条件并结合企业具体情况进行，特别是要考察该人选是否具有符合职位要求的专业知识和工作能力。考察可以组成专门的考察组，通过各种途径推荐人选，并通过搜集资料、与推荐对象谈话、征求企业和有关方面意见等方式，广泛深入地了解被推荐人选的情况，确定符合条件的建议人选后，按照履行出资人职责的机构的内部程序确定拟任人选。履行出资人职责的机构还可以通过向社会公开选聘等方式确定拟任人选。

对于考察合格并确定的拟任人选，履行出资人职责的机构应当按照规定的权限和程序任命或者建议任命。依照本法规定，履行出资人职责的机构任免国有独资企业的经理、副经理、财务负责人和其他高级管理人员，任免国有独资公司的董事长、副董事长、董事、监事会主席和监事，向国有资本控股公司、国有资本参股公司的股东会、股东大会提出董事、监事人选。对于本级政府规定应事先报请本级人民政府同意的，履行出资人职责的机构应当在任命或者提出提名人选前报本级人民政府同意。同时，法律、行政法规、本级人民政府以及企业章程对企业管理者的任命程序也有具体要求，履行出资人职责的机构不得超越职权、不得违反法定程序任命或者建议任命国家出资企业的管理者。

第二十五条　未经履行出资人职责的机构同意，国有独资企业、国有独资公司的董事、高级管理人员不得在其他企业兼职。未经股东会、股东大会同意，国有资本控股公司、国有资本参股公司的董事、高级管理人员不得在经营同类业务的其他企业兼职。

未经履行出资人职责的机构同意，国有独资公司的董事长不得兼任经理。未经股东会、股东大会同意，国有资本控股公司的董事长不得兼任经理。

董事、高级管理人员不得兼任监事。

【释义】　本条是关于国家出资企业管理者兼职限制的规定。

一、国家出资企业的董事、高级管理人员对企业负有忠实义务，应当为所任职企业的利益忠实履行职责，当其自身利益与企业利益发生或者可能发生冲突时，应当尽力维护企业利益，不得利用自身地位和职权牺牲企业利益为自己或者第三人牟取利益。国家出资企业的董事、高级管理人员负责企业经营管理，掌握企业各种信息，如果再在其他企业任职，既影响其对本企业经营管理投入的时间和精力，又会增加其利用所拥有的职权和所知悉的信息为自己或者他人谋取不正当利益的风险。公司法规定，国有独资公司的董事、高级管理人员，未经履行出资人职责的机构同意，不得在其他有限责任公司、股份有限公司或者其他经济组织兼职；未经股东会或者股东大会同意，有限责任公司、股份有限公司的董事、高级管理人员不得自营或者为他人经营与所任职公司同类的业务。与公司法的规定相衔接，本条对国家出资企业的董事、高级管理人员在其他企业兼职作了严格限制：未经履行出资人职责的机构同意，国有独资企业、国有独资公司的董事、高级管理人员不得在其他企业兼职；未经股东会、股东大会同意，国有资本控股公司、国有资本参股公司的董事、高级管理人员不得在经营同类业务的其他企业兼职。

二、在公司制企业中，董事会负责公司的经营决策，经理负责执行，这种权力配置有利于形成权责明确、有效制衡的内部监督机制。因此，公司的董事长和经理通常是分设的。但同时，各公司实际情况不同，董事长和经理分设会增加企业成本，可能影响企业经营决策效率。公司法对国有独资公司和股份有限公司的董事会成员兼任经理作了一定的限制：经履行出资人职责的机构同意，国有独资公司的董事会成员可以兼任经理；经董事会同意，股份有限公司的董事会成员可以兼任经理。而对有限责任公司的董事会成员兼任经理问题，公司法未作规定。本条参照公司法的规定，对国有独资公司和国有控股公司的董事长兼任经理作了限制性规定，其中对国有独资公司的董事长兼任经理的限制与公司法的规定是一致的。考虑到国有资本控股公司的特殊性并为了促进国有资本控股公司建立和完善内部监督制约机制，本条对其董事长兼任经理作了比公司法更严格的限制，即未经股东会、股东大会同意，国有资本控股公司的董事长不得兼任经理。

三、在企业中，董事、经理、财务负责人等高级管理人员负责企业的经营管理，由监事组成的监事会是内部监督机构，对董事、高级管理人员执行职务的行为进行监督，以维护企业和出资人的合法权益。为了保证监事会、监事独立、客观、公正行使职权，应当禁止企业的董事、高级管理人员兼任监事，这一规定与我国公司法的规定也是一致的。

第二十六条　国家出资企业的董事、监事、高级管理人员，应当遵守法律、行政法规以及企业章程，对企业负有忠实义务和勤勉义务，不得利用职权收受贿赂或者取得其他非法收入和不当利益，不得侵占、挪用企业资产，不得超越职权或者违反程序决定企业重大事项，不得有其他侵害国有资产出资人权益的行为。

【释义】　本条是关于国家出资企业管理者的义务的规定。

国家出资企业的董事、监事、高级管理人员是基于信任关系，由企业的出资人任命，或者由股东会、股东大会、董事会选举、聘任，履行公司经营管理或者监督职责的。为确保企业的董事、监事、高级管理人员正当行使权力，防止其放弃或者怠于履行职责，或者为自己的利益滥用权力，保护企业和出资人利益，有必要对企业管理者的义务作出严格的法律规定。本条参照公司法，对国家出资企业的董事、监事、高级管理人员的义务作了规定：(1)遵守法律、行政法规以及企业章程的义务。这是国家出资企业董事、监事、高级管理人员最基本的义务。国家出资企业的董事、监事、高级管理人员不得违反法律、行政法规以及企业章程的规定执行职务。(2)忠实义务。

这是指国家出资企业的管理者应当忠实履行职责，当其自身利益与企业利益发生或者可能发生冲突时，应当尽力维护企业利益，不得利用自身地位和职权牺牲企业利益为自己或者第三人牟取利益。（3）勤勉义务。这是指国家出资企业的管理者履行职责时，应当为企业的最大利益，以善良管理人的谨慎，尽一个处于相同地位的人的合理注意义务。

同时，本条还对国家出资企业管理者的忠实义务和勤勉义务作了部分列举，包括：（1）不得利用职权收受贿赂或者取得其他非法收入和不当利益，即不得利用执行职务的权力，索取或者收受他人财物、其他非法收入和不当利益。（2）不得侵占、挪用企业资产。侵占企业资产，是指利用职务上的便利，将本企业的财物非法占为己有；挪用企业资产，是指利用职务上的便利，挪用本企业的财物归个人使用或者给他人使用。（3）不得超越职权或者违反程序决定企业重大事项，即不得超越法律、行政法规以及企业章程规定的职权或者违反法律、行政法规以及企业章程规定的程序，决定企业的重大事项。（4）不得有其他侵害国有资产出资人权益的行为，如违反竞业禁止规定；在企业改制、财产转让等过程中，违反法律、行政法规和公平交易规则，将企业财产低价转让、低价折股；违反本法规定与本企业进行交易等。

第二十七条　国家建立国家出资企业管理者经营业绩考核制度。履行出资人职责的机构应当对其任命的企业管理者进行年度和任期考核，并依据考核结果决定对企业管理者的

奖惩。

履行出资人职责的机构应当按照国家有关规定，确定其任命的国家出资企业管理者的薪酬标准。

【释义】 本条是关于国家出资企业管理者的经营业绩考核、奖惩和薪酬标准的规定。

一、经营业绩考核，是指按照一定的指标对企业管理者的经营业绩进行考核评价的制度。实行国家出资企业管理者经营业绩考核制度，有利于加强对企业管理者的监督，对企业管理者建立有效的激励和约束机制，有利于维护国有资产出资人权益，落实国有资产保值增值责任。根据考核期间的不同，国家出资企业管理者经营业绩考核分为年度考核和任期考核。考核指标应当按照国家有关规定，根据企业所处行业和企业自身特点以及市场状况等因素合理确定，主要包括利润增长指标、资产收益指标等。考核的主要方式是对企业财务、会计数据及其他经营管理情况进行核实并作出评价。

二、国家出资企业管理者经营业绩考核的结果是对企业管理者进行奖惩的依据。对企业负责人的奖励主要包括薪酬奖励和股权激励。惩处主要包括减扣企业管理者的薪金、减少或者取消股权激励、免职、解聘等。国家出资企业管理者的薪酬是指企业管理者执行职务或者完成工作任务从企业获得的报酬。根据国家有关规定，国家出资企业管理者的薪酬一般包括基本薪酬和绩效薪酬两部分。基本薪酬标准根据企业经营规模和经营基本情况、所在地区平均工资、所在行业平均工资、本企业平均工资等因素综合确定。绩效薪酬与经营业绩考核结果挂钩，根据考核结果，以基本薪酬的一定比例或倍数确定。

三、根据本条规定，履行出资人职责的机构可以直接对其任命的企业管理者进行考核并决定其奖惩和薪酬标准。对国有资本控股公司、国有资本参股公司管理者的考核应当依照法律和公司章程的规定进行，其薪酬和奖惩依照法律、行政法规和公司章程的规定，由公司股东会、股东大会或者董事会决定，履行出资人职责的机构可以通过公司组织机构参与决定。

第二十八条　国有独资企业、国有独资公司和国有资本控股公司的主要负责人，应当接受依法进行的任期经济责任审计。

【释义】　本条是关于国有独资、控股企业主要负责人接受任期经济责任审计的规定。

一、企业主要负责人任期经济责任审计是审计机关对该负责人所在企业资产、负债、损益的真实性、合法性和效益性以及有关经济活动进行审计，以监督、评价该负责人经济责任履行情况的活动。依照审计法及有关行政法规的规定，审计机关对国有独资企业、国有独资公司、国有资本控股公司的主要负责人进行任期经济责任审计。国有资本控股公司包括国有资本占公司资本总额50%以上的公司，以及国有资本占公司资本总额的比例虽不足50%，但实质上拥有控制权的公司。企业的主要负责人是指企业的法定代表人。任期经济责任审计应当在企业负责人任期届满，或者在任期内发生调任、免职、辞职、退休等情形时进行。

二、任期经济责任审计的内容是所在企业资产、负债、损益的真实性、合法性和效益性以及有关经济活动，包括：企业资产、负债、损益的真实性，企业资产的安全、完整和保值增值，企业对外投资和资产的处置情况，企业收益的分配以及其他需要审计的事项。任期经济责任审计的目的在于：通过审计，查清该负责人在任职期间与企业资产、负债、损益目标责任制有关的各项经济指标的完成情况，以及遵守国家财经法律、法规情况；查清该负责人个人有无侵占企业资产以及其他违法违规的问题。对审计机关依法实施的任期经济责任审计，国有独资企业、国有独资公司和国有资本控股公司的主要负责人应当予以配合，不得拒绝、阻碍，不得隐匿、销毁、伪造、变造会计凭证、会计账簿、财务会计报告及其他有关资料，不得向审计机关提供虚假资料。

第二十九条　本法第二十二条第一款第一项、第二项规定的企业管理者，国务院和地方人民政府规定由本级人民政府任免的，依照其规定。履行出资人职责的机构依照本章规定对上述企业管理者进行考核、奖惩并确定其薪酬标准。

【释义】　本条是关于政府任免国家出资企业管理者的规定。

一、履行出资人职责的机构作为政府授权的机构，在本级人民政府授权的范围内，代表本级人民政府对国家出资企业履行出资人职责。对本级人民政府未授权的事项，由本级政府自行决定。由于国家出资企业的管理者对国家出资企业的经营效益起着决定性作用，对国有资产出资人权益有重大影响，因此，实践中有些国家出资企业的管理者是由国务院和有关地方人民政府直接选择和任免的。国务院直接任免一些关系国民经济命脉和国家安全的大型重点国家出资企业以及重要基础设施和重要自然资源等领域的大型重点国家出资企业的管理者；有关地方人民政府直接任免一些本地区经济社会影响较大或者规模较大的国家出资企业的管理者。具体企业和人员由国务院和有关地方人民政府确定。根据本条规定，由国务院和地方人民政府直接任免的国家出资企业的管理者，限于本法第二十二条第一款第一项和第二项规定的人员，即国有独资企业的经理、副经理、财务负责人和其他高级管理人员，国有独资公司的董事长、副董事长、董事、监事会主席和监事。

二、根据国务院和地方人民政府的规定以及实践做法，由本级人民政府任免的国家出资企业的管理者，也是由履行出资人职责的机构进行考核、奖惩并确定其薪酬标准的。履行出资人职责的机构应当依照本章和国家有关规定，对这些国家出资企业管理者进行年度和任期考核，依据考核结果决定对企业管理者的奖惩，并确定这些国家出资企业管理者的薪酬标准。

第五章　关系国有资产出资人权益的重大事项

第一节　一般规定

第三十条　国家出资企业合并、分立、改制、上市，增加或者减少注册资本，发行债券，进行重大投资，为他人提供大额担保，转让重大财产，进行大额捐赠，分配利润，以及解散、申请破产等重大事项，应当遵守法律、行政法规以及企业章程的规定，不得损害出资人和债权人的权益。

【释义】 本条是关于国家出资企业重大事项基本要求的规定。

一、国家出资企业的合并、分立、改制、上市，增加或者减少注册资本，发行债券，进行重大投资，为他人提供大额担保，转让重大财产，进行大额捐赠，分配利润，以及解散、申请破产等事项，与出资人权益关系重大，也是实践中容易发生国有资产损失的环节，应当对此作出有针对性的规定，依法加强监管，维护国有资产权益，防止国有资产损失。本章在总结实践经验的基础上，对关系国有资产出资人权益的重大事项作了专章规定。本条列举的国家出资企业关系国有资产出资人权益的重大事项主要包括：

1. 合并。合并是指两个或两个以上企业归并成为一个企业的法律行为。企业合并可以采取吸收合并和新设合并两种形式。吸收合并是指一个企业吸收其他企业，被吸收的企业解散。新设合并是指两个或两个以上企业合并为一个新企业，合并各方解散。

2. 分立。分立是指一个企业分成两个或两个以上企业的法律行为。根据原企业是否解散，分立分为存续分立和解散分立。存续分立是指将原有企业一部分分立出去成立新的企业，原有企业存续。解散分立是指将原有企业分立成两个或两个以上企业，原有企业解散。

3. 改制。改制是指企业法律形态或者股权结构的改变。按照本法第三十九条的规定，本法所称的企业改制包括以下三种情形：(1)国有独资企业改为国有独资公司；(2)国有独资企业、国有独资公司改为国有资本控股公司或者非国有资本控股公司；(3)国有资本控股公司改为非国有资本控股公司。

4. 上市。上市是指股份有限公司发行的股票经批准在证券交易所上市交易。

5. 增加或者减少注册资本。增加注册资本是指企业为了扩大营业等目的依照法定条件和程序增加企业的注册资本总额。减少注册资本是指企业为缩小营业等目的依照法定条件和程序减少企业的注册资本总额。

6. 发行债券。发行债券是指企业以筹集资金为目的、依照法定程序发行约定在一定期限内还本付息的有价证券的行为。

7. 进行重大投资。这里的重大投资,既包括在本企业进行新建、扩建、改建的重大投资,也包括向其他企业进行的重大投资。

8. 为他人提供大额担保。担保是指以担保人的信用或者特定财产保障债务人履行债务、债权人实现债权的制度。

9. 转让重大财产。转让重大财产是指企业以买卖或其他方式处置其重要的固定资产、股权或其他重要财产的行为。

10. 进行大额捐赠。捐赠是企业为发展社会公益事业以及资助特定或不特定的社会成员而无偿给予资金或实物的行为。

11. 分配利润。分配利润是指企业按照规定向出资人分配红利。

12. 解散。解散是指企业因法律或章程规定的事由发生,而停止经营活动并进行清算,使企业归于消灭的行为。

13. 申请破产。申请破产是指因企业不能清偿到期债务而申请法院按照法定程序处理其资产和债务的行为。

国家出资企业的上述重大事项,应当依照法律、行政法规以及企业章程规定的权限和程序进行,不得损害国有资产出资人、其他出资人以及债权人的权益。

第三十一条　国有独资企业、国有独资公司合并、分立,

增加或者减少注册资本，发行债券，分配利润，以及解散、申请破产，由履行出资人职责的机构决定。

【释义】 本条是关于履行出资人职责的机构决定国有独资企业、国有独资公司重大事项的规定。

企业合并、分立，增加或者减少注册资本，发行债券，分配利润，以及解散、申请破产，涉及企业资产和债权债务关系的变化、资本结构的变动，甚至会导致企业的消灭，出资人将最终承担由此产生的后果。因此出资人对这些重大事项应当享有决策权。对于国有独资企业、国有独资公司的这些重大事项，应由代表国家履行出资人职责的机构依法决定。本条的这一规定，与公司法的相关规定是衔接的。

第三十二条　国有独资企业、国有独资公司有本法第三十条所列事项的，除依照本法第三十一条和有关法律、行政法规以及企业章程的规定，由履行出资人职责的机构决定的以外，国有独资企业由企业负责人集体讨论决定，国有独资公司由董事会决定。

【释义】 本条是关于国有独资企业、国有独资公司由公司内部经营决策机构决定重大事项的规定。

本法第三十条规定了国家出资企业重大事项的范围。对于国有独资企业、国有独资公司的重大事项，除依照本法第三十一条和有关法律、行政法规以及企业章程的规定由履行出资人职责的机构决定的以外，其他重大事项应当由企业的经营管理决策机构决定：(1)国有独资企业由企业负责人集体讨论决定,实践中,通常是由企业经理(厂长)办公会议决定。(2)国有独资公司由董事会决定。董事会决议的表决实行一人一票。

第三十三条　国有资本控股公司、国有资本参股公司有本法第三十条所列事项的,依照法律、行政法规以及公司章程的规定,由公司股东会、股东大会或者董事会决定。由股东会、股东大会决定的,履行出资人职责的机构委派的股东代表应当依照本法第十三条的规定行使权利。

【释义】　本条是关于国有资本控股、参股公司重大事项决定的规定。

公司是具有独立权利能力和行为能力的法人,必须由公司机关代表公司作出意思表示,实施法律行为。股东会、股东大会是公司的权力机构,决定公司的重大事项;董事会是公司的经营决策机构,负责公司的经营管理决策。

公司法对公司股东会、股东大会与董事会的职权作了明确区分。根据公司法的规定,股东会、股东大会行使以下职权:决定公司的经营方针和投资计划;审议批准公司的年度财务预算方案、决算方案;审议批准公司的利润分配方案和弥补亏损方案;对公司增加或者减少注册资本作出决议;对发行公司债券作出决议;对公司合并、分立、解散、清算或者变更公司形式作出决议;以及法律法规和公司章程规定的其他职权。股东会、股东大会决定公司重大事项是通过股东在股东会、股东大会会议上行使表决权来实现的,表决权一般应当依据股东的股权或者出资额进行分配。董事会行使下列职权：决定公司的经营计划和投资方案；制订公司的年度财务预算方案、决算方案；制订公司的利润分配方案和弥补亏损方案；制订公司增加或者减少注册资本以及发行公司债券的方案；制订公司合并、分立、解散或者变更公司形式的方案；以及公司章程规定的其他职权。董事会的职权是通过召开董事会会议作出决定来实现的。董事会决议的表决，实行一人一票。本法第三十条规定的事项，有的属于公司股东会、股东大会的职权，有的属于公司董事会的职权，因此本条规定国有资本控股公司、国有资本参股公司有本法第三十条所列事项的，应当依照法律、行政法规以及公司章程的规定，由公司股东会、股东大会或者董事会决定。

履行出资人职责的机构作为法人组织，其参加国有资本控股公司、国有资本参股公司的股东会、股东大会并行使表决权，只能通过委派自然人作为股东代表进行。为了保证履行出资人职责的机构对国有资本控股公司、国有资本参股公司的重大事项决定权的行使，本条规定履行出资人职责的机构委派的股东代表应当依照本法第十三条的规定行使权利，即应当按照委派机构的指示提出提案、发表意见、行使表决权，并将其履行职责的情况和结果及时报告委派机构。国有资本控股公司、国有资本参股公司有本法第三十条所列重大事项的，依照法律、行政法规以及公司章程的规定，应当由公司股东会、股东大会决定的，履行出资人职责的机构应当经科学论证、慎重决策并形成意见后，对其委派的股东代表作出指示。

股东代表应当在公司股东会、股东大会上按照履行出资人职责的机构作出的指示提出提案、发表意见、行使表决权，不得擅自越权行事。委派的股东代表应当对履行出资人职责的机构负责，将其履行职责的有关情况和结果及时向履行出资人职责的机构报告。

第三十四条　重要的国有独资企业、国有独资公司、国有资本控股公司的合并、分立、解散、申请破产以及法律、行政法规和本级人民政府规定应当由履行出资人职责的机构报经本级人民政府批准的重大事项，履行出资人职责的机构在作出决定或者向其委派参加国有资本控股公司股东会会议、股东大会会议的股东代表作出指示前，应当报请本级人民政府批准。

本法所称的重要的国有独资企业、国有独资公司和国有资本控股公司，按照国务院的规定确定。

【释义】　本条是关于履行出资人职责的机构对重要国有独资企业、国有独资公司、国有资本控股公司的一些特定重大事项依法应当事先报请本级人民政府批准的规定。

依据本法规定，履行出资人职责的机构根据本级人民政府的授权，代表本级人民政府对国家出资企业履行出资人职责，决定或者参与决定国家出资企业的重大事项。由于重要的国有独资企业、国有独资公司和国有资本控股公司大多是关系国民经济命脉或者关系国家安全的重要行业和关键领域的企业，对这些企业的特定重大事项，政府有必要直接行使出资人权利。国务院和地方人民政府可以规定履行出资人职责的机构履行出资人职责的某些重大事项，应由履行出资人职责的机构事先报请本级人民政府批准。

依照本条规定，重要的国有独资企业、国有独资公司的合并、分立、解散、申请破产以及法律、行政法规和本级人民政府规定应当由履行出资人职责的机构报经本级人民政府批准的重大事项，履行出资人职责的机构应当在作出决定前报请本级人民政府批准；国有资本控股公司的上述重大事项，履行出资人职责的机构应当事先向本级人民政府请示，经批准后向其委派的股东代表作出指示，通过委派的股东代表在股东会会议、股东大会会议上行使表决权，以体现本级人民政府的意志。其中重要的国有独资企业、国有独资公司和国有资本控股公司，按照国务院的规定确定。

第三十五条　国家出资企业发行债券、投资等事项，有关法律、行政法规规定应当报经人民政府或者人民政府有关部门、机构批准、核准或者备案的，依照其规定。

【释义】　本条是关于国家出资企业发行债券和投资等事项应报经人民政府或者人民政府有关部门、机构批准、核准或者备案的规定。

国家出资企业发行债券、投资等事项是关系国有资产出资人权益的重大事项，必须按照本法和企业章程的规定由履行出资人职责的机构或股东会、股东大会、董事会决定。同时国家出资企业作为市场主体，其发行债券、投资等事项，应当与其他企业一样,遵守有关法律、行政法规的规定。

按照国家现行有关规定,企业发行的债券分为企业债券和公司债券两类。两类债券都是企业(公司)依照法定程序公开发行并约定在一定期限内还本付息的有价证券。发行企业债券应当符合《企业债券管理条例》的规定,报国家发展改革委核准。发行公司债券应当符合证券法、公司法等法律及相关行政法规的规定,报中国证监会核准。

国务院2004年7月发布的《国务院关于投资体制改革的决定》,改变了过去不分投资主体、不分资金来源、不分项目性质,一律按投资规模大小分别由各级政府及有关部门审批的企业投资管理办法,对于企业不使用政府投资建设的项目,一律不再实行审批制,区别不同情况实行核准制和备案制。企业投资的项目属于《政府核准的投资项目目录》中规定的重大项目和限制类项目的,应按规定报经核准;企业投资《政府核准的投资项目目录》以外的项目,只需按照规定报备案。

第三十六条　国家出资企业投资应当符合国家产业政策,并按照国家规定进行可行性研究;与他人交易应当公平、有偿,取得合理对价。

【释义】　本条是关于国家出资企业投资和与他人交易应当遵循的原则的规定。

一、企业投资应当符合国家产业政策,并按照国家规定进行可行性研究。这里规定的企业投资,既包括企业在本企业新建、扩建、改建生产经营项目而进行的投资,也包括向其他企业进行投资的行为。国家产业政策，是指国家为了保证国民经济健康发展而调整产业经济活动的方针和指引，是国家进行宏观调控，调节固定资产投资、调整和优化产业结构的重要手段，在国家经济政策中占有重要地位。国家出资企业作出投资决策，应当符合国家产业政策，将企业效益与社会效益有机地结合起来，从而保证投资的长期效益。可行性研究是在投资决策前进行的，通过对与投资项目有关的经济技术和市场等条件进行调查、研究、论证，对项目建成后的经济效益进行预测和评价，最后综合分析该项目建设的可行性的研究工作。国家出资企业在进行投资决策时，应当严格按照国家有关规定进行可行性研究，避免投资失误，减少投资风险，提高投资效益。

二、与他人交易应当公平、有偿，取得合理对价。民法通则规定，民事活动应当遵循自愿、公平、等价有偿、诚实信用的原则。合同法规定，当事人应当遵循公平原则确定各方的权利和义务。国家出资企业从事交易活动，也应当依照法律的规定，通过与交易对方公平协商，合理确定双方的权利和义务，取得合理对价，不得无偿提供资金、商品、服务或其他资产或者进行对价明显不公平、不合理的交易，损害国有资产出资人的权益。

第三十七条　国家出资企业的合并、分立、改制、解散、申请破产等重大事项，应当听取企业工会的意见，并通过职工代表大会或者其他形式听取职工的意见和建议。

【释义】　本条是关于国家出资企业的重大事项应当听

取工会和职工意见的规定。

国家出资企业的合并、分立、改制、解散、申请破产等重大事项,直接关系到职工的劳动关系存续以及工资和福利待遇等事项,与职工利益关系重大,处理不当容易造成对职工合法权益的侵害。为维护职工的合法权益,本条规定,国家出资企业的上述重大事项,应当听取企业工会的意见,并通过职工代表大会或者其他形式听取职工的意见和建议。

第三十八条　国有独资企业、国有独资公司、国有资本控股公司对其所出资企业的重大事项参照本章规定履行出资人职责。具体办法由国务院规定。

【释义】 本条是关于国有独资企业、国有独资公司、国有资本控股公司对其所出资企业的重大事项参照本章规定履行出资人职责的规定。

不少国家出资企业都投资设立了子企业,而且一些国家出资企业的子企业规模较大,集中了不少优良资产,涉及资产评估、国有资产转让、合并、改制等行为多发生在国家出资企业的子企业。国家出资企业出资设立的子企业不属于国家直接出资的企业,本法有关规定对这些子企业并不直接适用,但国家出资企业的国有资本出资人权益,通过国家出资企业的投资延伸到了子企业,这些子企业重大事项的处理,对国有资产保值增值也会有重大影响。由于政府履行出资人职责的机构并不能直接对国家出资企业的子企业履行出资人职责,为维护国有资产权益,防止国有资产损失,应当通过母企业对子企业的重大事项参照本章规定行使出资人权利，以维护母企业作为出资人的权益，从而维护母企业的国有资本出资人的权益。为此，本条规定：国有独资企业、国有独资公司、国有资本控股公司对其所出资企业的重大事项参照本章规定履行出资人职责。具体办法由国务院规定。

第二节　企业改制

第三十九条　本法所称企业改制是指：

（一）国有独资企业改为国有独资公司；

（二）国有独资企业、国有独资公司改为国有资本控股公司或者非国有资本控股公司；

（三）国有资本控股公司改为非国有资本控股公司。

【释义】　本条是关于本法所称的企业改制含义的规定。

本法所称的企业改制，包括以下三种情形：（1）国有独资企业改为国有独资公司。这是指将依照全民所有制工业企业法登记成立的国有独资企业，按照公司法的有关规定改制成为国有独资的有限责任公司。（2）国有独资企业、国有独资公司改为国有资本控股公司或者非国有资本控股公司。这是指国有独资企业、国有独资公司按照公司法的有关规定，吸收其他法人、自然人出资，或者出让其部分资产，将原来由国家单独投资设立的国有独资企业、国有独资公司改制为多个主体投资的国有资本参股公司，或者出让其全部资产，将原来由国家独资设立的国有独资企业、国有独资公司改为没有国有资本的公司。(3)国有资本控股公司改为非国有资本控股公司。这是指国有资本控股公司按照公司法的有关规定,吸收其他法人、自然人改制为国有资本只参股不控股的公司,或者将该企业的国有资本出资全部转让,成为没有国有资本参股的公司。

第四十条　企业改制应当依照法定程序,由履行出资人职责的机构决定或者由公司股东会、股东大会决定。

重要的国有独资企业、国有独资公司、国有资本控股公司的改制,履行出资人职责的机构在作出决定或者向其委派参加国有资本控股公司股东会会议、股东大会会议的股东代表作出指示前,应当将改制方案报请本级人民政府批准。

【释义】　本条是关于企业改制决定程序的规定。

一、企业改制是改变企业法律形态或者股权结构的行为。企业改制涉及企业组织形式的改变、资产的清理和处置、债权债务的处理、股权的变动,有些还涉及职工的重新安置,并可能对出资人权益带来重大影响。因此,本条规定企业改制应当由企业的出资人决定或者参与决定。对国有独资企业、国有独资公司来说,其出资人只有一人,履行出资人职责的机构根据本级政府的授权代表本级政府对其履行出资人职责,因此国有独资企业、国有独资公司改制应由履行出资人职责的机构决定。对于国有资本控股公司来说,由公司出资人(股东)组成的股东会、股东大会是其权力机构,决定公司的重大事项,因此国有资本控股公司改制由公司股东会、股东大会决定。

二、企业改制是关系企业生存和发展的重大事项，并可能对出资人权益带来重大影响，因此本条第二款明确规定，重要的国有独资企业、国有独资公司、国有资本控股公司的改制，履行出资人职责的机构应当事先报请本级人民政府批准。对国有独资企业、国有独资公司，履行出资人职责的机构应当在作出决定前将改制方案报请本级人民政府批准；对国有资本控股公司，履行出资人职责的机构应当事先将改制方案报本级人民政府批准，经批准后据此向其委派的股东代表作出指示，通过后者在股东会会议、股东大会会议上行使表决权来实现本级人民政府的意志。

第四十一条　企业改制应当制定改制方案，载明改制后的企业组织形式、企业资产和债权债务处理方案、股权变动方案、改制的操作程序、资产评估和财务审计等中介机构的选聘等事项。

企业改制涉及重新安置企业职工的，还应当制定职工安置方案，并经职工代表大会或者职工大会审议通过。

【释义】　本条是关于企业改制方案的规定。

一、企业改制往往涉及企业组织形式变更、股权变动、债权债务处理等诸多问题，法律关系复杂。进行企业改制，应当根据企业的具体情况制定改制方案，以利于改制的顺利实施。改制方案必须符合有关法律的规定以及国家的有关方针政策，充分考虑相关各方的利益，并应当具有可操作性。企业改制方案应当载明下列事项：

1. 改制后的企业组织形式。企业改制往往会发生企业组织形式的变化，如国有独资企业改为国有独资公司、国有独资公司改为有限责任公司、有限责任公司改为股份有限公司等。如果改制导致企业组织形式改变，将会导致企业的资本结构、管理方式等发生改变，进而对企业的出资人、债权人以及企业职工的利益产生影响。为此，本条规定，企业改制方案应当载明改制后的企业组织形式。

2. 企业资产和债权债务处理方案。企业改制应当依法对企业资产进行处理，通过清产核资、财务审计、资产评估等工作，界定和核实企业的资产并确定其价值。企业改制过程中可能会涉及有关债权债务的抵销、减免、清偿以及债权转换为股权等事宜。企业资产和债权债务的处理，直接关系出资人和债权人的权益，应当妥善处理。为此，本条规定，企业改制方案应当载明企业资产和债权债务处理方案。

3. 股权变动方案。企业改制常采用合并、分立、通过增资扩股吸收新股东等形式，有时还会发生企业管理层和职工对企业持股的情形，这些情况下都会有新股东加入企业并导致企业股权的变动。企业股权变动会直接影响企业原出资人的权益，因此企业改制方案中应当载明企业的股权变动方案。

4. 改制的操作程序。企业改制涉及多个环节，包括经履行出资人职责的机构决定或者公司股东会、股东大会决定，听取企业工会和职工意见以及清产核资、财务审计、资产评估、股权变动、重新进行工商登记等。因此，改制方案中应当载明改制的操作程序，以保证改制的顺利实施。

5. 中介机构的选聘。企业改制，必须依法委托符合条件的会计师事务所、资产评估机构等中介机构提供清产核资、财务审计、资产评估等专业服务。中介机构能否尽职提供服务，直接影响改制的进行和出资人的权益。因此，改制方案应当明确载明中介机构的选聘方式、选聘程序等内容。

二、企业改制经常会涉及企业原有职工的重新安置，根据企业具体情况的不同，可能采用不同的安置方法，如职工与原企业解除劳动关系并与改制后企业重新订立劳动合同，职工与企业解除劳动关系并给予经济补偿等。企业改制涉及重新安置企业职工的，会直接影响企业职工的劳动关系存续和工资、福利待遇标准，与职工的切身利益关系重大。因此企业改制涉及重新安置企业职工的，应当制定职工安置方案。职工安置方案的主要内容一般包括：企业的人员状况及安置意见；职工劳动合同的变更、解除及重新签订办法；解除劳动合同职工的经济补偿金支付办法；社会保险关系接续；拖欠职工的工资等债务和企业欠缴的社会保险费处理办法等。企业改制必须经职工代表大会或职工大会审议通过职工安置方案后方可实施。

第四十二条　企业改制应当按照规定进行清产核资、财务审计、资产评估，准确界定和核实资产，客观、公正地确定资产的价值。

企业改制涉及以企业的实物、知识产权、土地使用权等非

货币财产折算为国有资本出资或者股份的，应当按照规定对折价财产进行评估，以评估确认价格作为确定国有资本出资额或者股份数额的依据。不得将财产低价折股或者有其他损害出资人权益的行为。

【释义】 本条是关于企业改制应当客观、公正地确定资产价值，不得损害出资人权益的规定。

一、企业改制应当按照规定进行清产核资、财务审计、资产评估等工作，以便准确界定和核实企业的资产，并客观公正地确定资产的价值。

1. 清产核资。清产核资，是指通过账务清理、财产清查、价值重估等工作，认定企业的各项资产损益，从而真实反映企业的资产价值和重新核定企业资产。账务清理是指对企业的各种银行账户、会计核算科目、各类库存现金和有价证券等基本财务情况及对企业的资金往来进行全面核对和清理。资产清查是指对企业的各项资产，包括固定资产、流动资产、各项对外投资等进行清理、核对和查实。价值重估是指对企业账面价值和实际价值不符的主要固定资产和流动资产，按照国家规定的方法、标准进行重新估价。

2. 财务审计。财务审计是指对改制企业的财务收支活动所进行的审计。财务审计应当以改制企业的会计凭证、账簿、报表以及其他资料为对象，审查各项财务收支的真实性、准确性、合法性，作出客观评价。

3. 资产评估。资产评估是指委托资产评估机构按照法定标准和程序，运用科学的方法，对被评估资产的现有价值进行评定和估算。资产评估的范围包括改制企业的固定资产、流动资产、无形资产等。

二、企业改制过程中，经常会发生以企业的实物、知识产权、土地使用权等非货币财产折算为国有资本出资或者股份的情况。此时应当按照有关规定对折价财产进行评估，并以评估确认的价格作为确定国有资本出资额或者股份数额的依据。这是为了准确确定实物、知识产权、土地使用权等非货币财产的真实市场价值，防止发生将财产低价折股或者其他损害国有资产出资人及其他出资人权益的行为。

第三节　与关联方的交易

第四十三条　国家出资企业的关联方不得利用与国家出资企业之间的交易，谋取不当利益，损害国家出资企业利益。

本法所称关联方，是指本企业的董事、监事、高级管理人员及其近亲属，以及这些人员所有或者实际控制的企业。

【释义】　本条是关于关联方的界定以及关联方不得利用与国家出资企业的交易损害国家出资企业利益的规定。

公司法和有关税收的法律、行政法规、规章等对企业的关联方作了较为广义的规定，主要包括：该企业的控股股东、实际控制人，董事、监事、高级管理人员，该企业直接或者间接控制的企业等。公司法等法律、行政法规对企业与其关联方之间的交易行为进行规范，是为了保证交易的公平、公正，保证合理确定企业应纳税款。本法从保障国家出资企业利益，防止国有资产损失出发，界定的关联方比通常所说的关联方范围要窄，限于国家出资企业的董事、监事、高级管理人员及其近亲属，以及这些人员所有或者实际控制的企业。这样界定的主要考虑是：国家出资企业的董事、监事、高级管理人员负责企业生产经营管理，或者行使相关的监督职责，对企业负有忠实义务和勤勉义务，应当为企业的最大利益服务，当其自身利益与企业利益发生冲突时，应当维护企业利益，不得利用其职权牺牲企业利益，为自己谋取不当利益。同时，董事、监事、高级管理人员的近亲属，以及董事、监事、高级管理人员及其近亲属所有或者实际控制的企业，与董事、监事、高级管理人员存在重大利益关系，董事、监事、高级管理人员也不得利用其职权为上述人员和企业谋取不当利益，或者通过上述人员和企业为自己谋取不当利益，损害国家出资企业利益。

第四十四条　国有独资企业、国有独资公司、国有资本控股公司不得无偿向关联方提供资金、商品、服务或者其他资产，不得以不公平的价格与关联方进行交易。

【释义】　本条是关于国有独资、控股企业不得无偿或者以不公平的价格与关联方进行交易的规定。

在市场经济活动中，从事交易活动应当遵循等价有偿、公平、公正的基本原则。国有独资企业、国有独资公司、国有资本控股公司与关联方进行交易同样应当遵循这一原则，在设定和履行义务时，应当取得合理对价，不得无偿向关联方提供资金、商品、服务或者其他资产，不得以不公平的价格与关联方进行交易。所谓以不公平的价格进行交易，是指以不合理的高价从关联方买入商品或者服务，或者以不合理的低价向关联方卖出商品或者服务。

第四十五条　未经履行出资人职责的机构同意，国有独资企业、国有独资公司不得有下列行为：

（一）与关联方订立财产转让、借款的协议；

（二）为关联方提供担保；

（三）与关联方共同出资设立企业，或者向董事、监事、高级管理人员或者其近亲属所有或者实际控制的企业投资。

【释义】　本条是关于未经履行出资人职责的机构同意，国有独资企业、独资公司不得从事的关联交易行为的规定。

为了防止关联方利用与国家出资企业之间的交易谋取不当利益，损害国家出资企业利益，除了要求国家出资企业不得无偿或者以不公平的价格与关联方进行交易外，还需要对国家出资企业与关联方之间的交易提出相应的程序要求。国有独资企业、国有独资公司与关联方订立财产转让、借款的协议，为关联方提供担保，与关联方共同出资设立企业，或者向董事、监事、高级管理人员或者其近亲属所有或者实际控制的企业投资，存在较大的不正当利益输送的风险，可能会损害企业利益和出资人权益。为有效维护企业国有资产权益，本条规定，非经履行出资人职责的机构同意，国有独资企业、国有独资公司不得与关联方从事上述交易。

第四十六条　国有资本控股公司、国有资本参股公司与关联方的交易，依照《中华人民共和国公司法》和有关行政法规以及公司章程的规定，由公司股东会、股东大会或者董事会决定。由公司股东会、股东大会决定的，履行出资人职责的机构委派的股东代表，应当依照本法第十三条的规定行使权利。

公司董事会对公司与关联方的交易作出决议时，该交易涉及的董事不得行使表决权，也不得代理其他董事行使表决权。

【释义】　本条是关于国有资本控股、参股公司与关联方交易的决定的规定。

企业与关联方的交易，可能导致企业的利益向关联方不当输送，损害企业及其出资人利益。但同时，企业与关联方的交易有些是合理的，甚至是企业经营所必需的。因此，对企业与关联方的交易不能一律禁止。对国有资本控股公司、国有资本参股公司与关联方的交易，应当依照公司法和有关行政法规以及公司章程的规定，由公司股东会、股东大会或者董事会决定。

履行出资人职责的机构代表本级政府对国有资本控股公司、国有资本参股公司履行出资人职责，参与决定公司重大事项，主要是通过委派股东代表，参加公司股东会会议、股东大会会议来实现的。国有资本控股公司、国有资本参股公司与关联方的交易应由股东会、股东大会决定的，履行出资人职责的机构应当委派股东代表出席会议，并就表决事项作出指示。履行出资人职责的机构委派的股东代表在公司股东会会议、股东大会会议上,应当按照委派机构的指示提出提案、发表意见、行使表决权,并将其履行职责的情况和结果及时报告委派机构。

国有资本控股公司、国有资本参股公司的董事会决定公司经营管理的有关事项,应当召开董事会会议,并由董事进行表决。董事表决实行一人一票。在公司董事会对公司与关联方的交易作出决议时,由于该交易涉及的董事与表决事项存在重大利害关系,因此应当回避,不得对该事项行使表决权,也不得代理其他董事行使表决权。

第四节 资产评估

第四十七条 国有独资企业、国有独资公司和国有资本控股公司合并、分立、改制,转让重大财产,以非货币财产对外投资,清算或者有法律、行政法规以及企业章程规定应当进行资产评估的其他情形的,应当按照规定对有关资产进行评估。

【释义】 本条是关于国有独资、控股企业应当进行资产评估的事项的规定。

资产评估是由专门的评估机构和评估人员按照一定的程序和标准对被评估资产的市场价值进行评定的活动。在涉及国家出资企业的资产流转、交易等过程中,合理评估相关资产的价值,是国有资产管理的一项重要基础性工作,是促进公平交易、防止国有资产损失的重要手段。因此,国有独资企业、国有独资公司和国有资本控股公司有本法和其他法律、行政法规以及企业章程规定应当进行资产评估的情形的，应当按照规定对有关资产进行评估。

国有独资企业、国有独资公司和国有资本控股公司合并、分立、改制、转让重大财产、以非货币财产对外投资、清算，属于企业重大事项，有的涉及企业重大财产的处置，有的涉及企业重大债权、债务的处理，有的涉及企业股权结构的重大变动，对企业经营活动以及出资人权益有重大影响，因此本条要求国有独资企业、国有独资公司和国有资本控股公司在出现上述事项时应当委托资产评估机构对有关资产进行评估。除上述情形外，国有独资企业、国有独资公司、国有资本控股公司有法律、行政法规以及企业章程规定应当进行资产评估的其他情形的，也应当按照规定对有关资产进行评估。

第四十八条　国有独资企业、国有独资公司和国有资本控股公司应当委托依法设立的符合条件的资产评估机构进行资产评估；涉及应当报经履行出资人职责的机构决定的事项的，应当将委托资产评估机构的情况向履行出资人职责的机构报告。

【释义】　本条是关于国有独资、控股企业应当依法委托评估机构和履行报告程序的规定。

按照国家有关规定，设立资产评估机构应当具备规定的条件，并取得资产评估资格。国有独资企业、国有独资公司和国有资本控股公司应当委托依法设立的符合条件的资产评估机构资产评估机构进行资产评估。

根据本法有关规定，国有独资企业、国有独资公司合并、分立、增加或者减少注册资本、解散、申请破产，以及法律、行政法规和企业章程规定应当由履行出资人职责的机构决定的其他事项，应当报经履行出资人职责的机构决定。上述事项对出资人权益有重大影响，企业有上述事项应当委托资产评估机构对有关资产进行评估的，为了便于履行出资人职责的机构了解资产评估机构的情况并加强对资产评估的监督，本条要求企业应当将委托资产评估机构的情况向履行出资人职责的机构报告。

第四十九条　国有独资企业、国有独资公司、国有资本控股公司及其董事、监事、高级管理人员应当向资产评估机构如实提供有关情况和资料，不得与资产评估机构串通评估作价。

【释义】　本条是关于国有独资、控股企业及其董事、监事、高级管理人员应当如实提供资料并不得与资产评估机构串通评估作价的规定。

资产评估机构进行资产评估是在企业及其工作人员提供的情况和资料的基础上进行的。资产评估结果是否真实、准确，一方面取决于资产评估机构及其工作人员的职业操守、是否遵守执业准则以及所采取的评估方法是否科学、合理等，另一方面也取决于企业及其高管人员提供的情况和资料是否真实、准确、完整。为了保证资产评估结果的真实、准确，本条要求国有独资、控股企业及其董事、监事、高级管理人员应当向资产评估机构如实提供有关情况和资料，不得提供虚假情况和资料,如提供虚假的或者故意不提供与所评估资产有关的会计凭证、会计账簿、财务会计报告、交易合同等。

为了保证资产评估结果真实、准确,防止国有独资、控股企业的董事、监事、高级管理人员利用资产评估谋取非法利益,损害企业利益,造成国有资产损失,本条还规定,国有独资、控股企业及其董事、监事、高级管理人员不得与资产评估机构串通评估作价。所谓串通评估作价,是指国有独资、控股企业及其董事、监事、高级管理人员与资产评估机构在资产评估过程中合谋,由资产评估机构出具虚假评估报告,以谋取非法利益。

第五十条　资产评估机构及其工作人员受托评估有关资产,应当遵守法律、行政法规以及评估执业准则,独立、客观、公正地对受托评估的资产进行评估。资产评估机构应当对其出具的评估报告负责。

【释义】　本条是关于资产评估机构及其工作人员的基本行为规范的规定。

资产评估机构及其工作人员应当遵守的基本行为规范包括:(1)遵守法律、行政法规以及评估执业准则。资产评估机构及其工作人员受托进行资产评估,应当按照法律、行政法规以及执业准则的规定,恪守职业道德,遵守评估程序,选择恰当的评估方法,尽职收集、分析与评估资产有关的情况和资料,严谨、客观地编制资产评估报告。(2)遵循独立、客观、公正的原则。所谓独立原则,是指资产评估机构及其工作人员与委托方或相关当事人之间不应存在可能影响其公正执业的利害关系。资产评估机构或者其工作人员与委托方或相关当事人之间存在可能影响其公正执业的利害关系时，应当回避。所谓客观原则，是指资产评估机构及其工作人员应当以真实、准确、完整的资料为依据，客观地进行分析、估算并作出评估结论。所谓公正原则，是指资产评估机构及其工作人员不得受委托方或相关当事方的影响，不得以预先设定的价值作为评估结论，确保评估结果的公正。

资产评估机构应当对其出具的评估报告负责。资产评估机构对受托评估的资产进行评估后，应当出具资产评估报告，载明所遵循的评估程序、评估标准，所选择的评估方法，以及评估结果等事项。资产评估报告应当真实、准确、完整，不得有虚假记载、误导性陈述和重大遗漏。资产评估机构及其工作人员应当对其出具的评估报告负责，资产评估机构及其工作人员出具有虚假记载、误导性陈述和重大遗漏的资产评估报告的，应当承担相应的法律责任。

第五节　国有资产转让

第五十一条　本法所称国有资产转让，是指依法将国家对企业的出资所形成的权益转移给其他单位或者个人的行为；按照国家规定无偿划转国有资产的除外。

【释义】　本条是关于国有资产转让含义的规定。

按照本法第二条关于本法所称企业国有资产是指国家对

企业各种形式的出资所形成的权益的规定，本条规定的国有资产转让，对于国有独资企业来讲转让的是出资；对于国有独资公司、国有资本控股公司和国有资本参股公司而言转让的是股权、股份。国家出资企业转让厂房、机器设备等不动产、动产和其他财产，不是本法所规定的国有资产转让。

履行出资人职责的机构可以转让全部国有资产，也可以转让部分国有资产，但要遵循相关的程序要求。比如在遵循等价有偿和公开、公平、公正原则的前提下，依法在产权交易场所按照程序要求公开转让等。

本条规定的国有资产转让是指有偿转让，按照国家规定无偿划转国有资产的不属于本法所称的国有资产转让。

第五十二条　国有资产转让应当有利于国有经济布局和结构的战略性调整，防止国有资产损失，不得损害交易各方的合法权益。

【释义】 本条是关于国有资产转让基本要求的规定。

一、国有资产的合理有序转让，有利于实现国有经济布局和结构的战略性调整，保障国有经济的巩固和发展，增强国有经济的活力、影响力和控制力，促进经济资源的优化配置。党的十六届三中全会决定明确提出，要积极推行公有制的多种有效实现形式，加快调整国有经济布局和结构。完善国有资本有进有退、合理流动的机制，进一步推动国有资本更多地投向关系国家安全和国民经济命脉的重要行业和关键领域，增强国有经济的控制力。本条规定，国有资产转让应当符合国有经济布局和结构的战略性调整的总体要求，通过国有资产转让，推动国有资本更多地投向关系国家安全和国民经济命脉的重要行业和关键领域。

二、国有资产转让也是国家获得投资收益的一种方式。与社会主义市场经济条件下其他交易活动一样，国有资产转让也应当遵循等价有偿原则，取得合理对价，不得以不合理的低价转让国有资产，造成国有资产损失。因此，本条规定，国有资产转让应当防止国有资产损失。此外，在转让国有资产时，除应当保护国家利益，防止国有资产损失外，也不得损害交易各方的合法权益。

第五十三条　国有资产转让由履行出资人职责的机构决定。履行出资人职责的机构决定转让全部国有资产的，或者转让部分国有资产致使国家对该企业不再具有控股地位的，应当报请本级人民政府批准。

【释义】　本条是关于国有资产转让决定权限的规定。

根据本法规定，履行出资人职责的机构根据本级人民政府的授权，代表本级人民政府对国家出资企业享有出资人权利。国有资产转让是指将国家对企业的出资所形成的权益有偿转移给其他单位或者个人行为，转让国有资产是出资人的一项重要权利。因此，本条规定国有资产转让由履行出资人职责的机构决定。

履行出资人职责的机构是代表本级人民政府对国家出资企业行使出资人权利的，其权利范围限于本级人民政府的授权。本法第十二条规定,履行出资人职责的机构对法律、行政法规和本级人民政府规定须经本级人民政府批准的履行出资人职责的重大事项,应当报请本级人民政府批准。为了有利于政府推进国有经济布局和结构的战略性调整,防止国有资产损失,本条规定,履行出资人职责的机构决定转让全部国有资产的,或者转让部分国有资产致使国家对该企业不再具有控股地位的,应当报请本级人民政府批准。

第五十四条　国有资产转让应当遵循等价有偿和公开、公平、公正的原则。

除按照国家规定可以直接协议转让的以外,国有资产转让应当在依法设立的产权交易场所公开进行。转让方应当如实披露有关信息,征集受让方;征集产生的受让方为两个以上的,转让应当采用公开竞价的交易方式。

转让上市交易的股份依照《中华人民共和国证券法》的规定进行。

【释义】　本条是关于国有资产转让的原则和方式的规定。

等价有偿是市场交易的基本原则,国有资产转让同样应当遵循这一原则,交易对方在受让国有资产时应当支付相应的对价。同时,国有资产转让应当遵循公开、公平、公正原则,充分披露有关信息,按照规定采取公开的交易方式,确定公平合理的价格,维护交易双方的合法权益。

为了保证国有资产转让公开、公平、公正,本条第二款对国有资产的转让方式作了规定。国有资产转让原则上应当在依法设立的产权交易场所公开进行，通过公开、竞争的产权交易市场进行交易，充分运用市场发现价格的机制，尽可能实现国有资产转让价格最大化、防止国有资产低价转让。但是，如果按照国家规定，有些国有资产转让对受让方有特殊要求，或者进场交易成本过高的，可以不进场交易，而是以直接协议转让的方式进行。

国有资产在产权交易场所进行转让的，转让方有义务如实披露有关信息，征集受让方。应当披露的信息主要包括：转让方和转让标的基本情况、最低转让价格、受让方的资格条件、是否涉及向管理层转让、股东是否放弃行使优先购买权等。转让方可以对受让方的资质、商业信誉、经营情况、财务状况、管理能力、资产规模等提出必要的资格条件，但应符合国家有关法律、法规的规定，不得有明确的指向性和违反公平竞争的内容。征集产生的受让方为两个以上时，转让应当采用公开竞价的交易方式。实践中产权交易所采取的竞价方式主要有拍卖、招投标、网络竞价等。

依照证券法的规定，上市公司股份在证券交易所上市交易，应当采取公开的集中交易方式或者国务院证券监督管理机构批准的其他方式。其中的集中交易方式，是指在证券交易场所内，参与证券买卖的当事人公开报价，按照价格优先、时间优先的原则撮合成交。在证券交易所交易的其他方式，也是以集中交易方式确定的价格为依据的。由此可以看出，上市交易的股份在证券交易所交易，遵循的是公开、公平、公正原则。因此,本条第三款规定,转让上市交易的国家出资企业股份依照证券法的规定进行。

第五十五条　国有资产转让应当以依法评估的、经履行出资人职责的机构认可或者由履行出资人职责的机构报经本级人民政府核准的价格为依据,合理确定最低转让价格。

【释义】　本条是关于国有资产最低转让价格的确定的规定。

履行出资人职责的机构决定转让国有资产,必须确定国有资产的实际价值,防止转让价格低于其实际价值而造成国有资产损失。因此,转让国有资产应当由履行出资人职责的机构委托依法设立的符合条件的资产评估机构对拟转让的国有资产进行评估。

资产评估机构受托对拟转让的国有资产价格进行评估,出具资产评估报告后,履行出资人职责的机构应当对其评估程序、评估方法、评估所依据的资料以及市场变化情况等进行审查,只有取得履行出资人职责的机构认可的评估价格才能作为确定国有资产最低转让价格的依据。此外,根据国家有关规定或者本级人民政府的规定,国有资产的评估价格应当报经本级人民政府核准的,履行出资人职责的机构还应当报经本级人民政府核准,并以核准的价格合理确定国有资产转让的最低价格。如果以最低转让价格未能征集到意向受让方,可以按照国家规定,在经履行出资人职责的机构认可,或者由履行出资人职责的机构报经本级人民政府核准的价格的基础上适当降低价格。

第五十六条　法律、行政法规或者国务院国有资产监督管理机构规定可以向本企业的董事、监事、高级管理人员或者其近亲属，或者这些人员所有或者实际控制的企业转让的国有资产，在转让时，上述人员或者企业参与受让的，应当与其他受让参与者平等竞买；转让方应当按照国家有关规定，如实披露有关信息；相关的董事、监事和高级管理人员不得参与转让方案的制定和组织实施的各项工作。

【释义】　本条是关于国有资产向管理层转让的规定。

国有资产向本企业的董事、监事、高级管理人员或者其近亲属，或者这些人员所有或者实际控制的企业转让，通常被称为向管理层转让。近些年来，一些国有企业在改制过程中，将企业的国有股权向本企业的管理层转让，有的国有企业的管理者通过虚报、瞒报企业资产，虚构企业债务，与评估机构串通低估国有资产价值，故意将国有企业做亏等手段，以明显不公平的低价取得企业的国有股权，严重侵害国有资产权益，造成国有资产流失，引起职工的强烈不满和社会的广泛关注。国务院和国务院国资委曾多次发文，对此予以规范。本法总结实践经验，针对这方面存在的主要问题，对国有资产向管理层转让作出了严格规范。主要包括：(1)考虑到大型、重要的国家出资企业的国有股权不宜向企业管理层转让，对此需要由相关法律、行政法规或者国务院国有资产监督管理机构作出具体规定，因此，本条规定，只有法律、行政法规或者国务院国有资产监督管理机构规定企业国有资产可以向本企业管理层转让的,方可向管理层转让。(2)参与受让的本企业管理层应当与其他受让参与者平等竞买,转让方应当按照国家有关规定如实披露有关信息,相关的董事、监事、高级管理人员不得参与转让方案的制定和组织实施工作,以保证转让公开、透明,防止暗箱操作,防止管理层从中获取不当利益,造成国有资产损失。

第五十七条　国有资产向境外投资者转让的,应当遵守国家有关规定,不得危害国家安全和社会公共利益。

【释义】　本条是关于国有资产向境外投资者转让限制的规定。

国有资产依法向境外投资者转让,有利于引进国外的先进管理经验、技术和资金,加快经济结构调整,改进企业法人治理结构。境外投资者包括境外的自然人、法人和其他组织。但是,对于国有资产向境外投资者转让也要予以规范,不仅应当符合本法规定,还应当符合我国外商投资企业法律以及外商投资产业指导目录和其他产业政策等相关规定。同时,国有资产向境外投资者转让也不得危害经济安全和社会公共利益,法律规定应当经过相关审查的,必须进行相关审查。如反垄断法第三十一条规定:“对外资并购境内企业或者以其他方式参与经营者集中,涉及国家安全的,除依照本法规定进行经营者集中审查外,还应当按照国家有关规定进行国家安全审查。”

第六章　国有资本经营预算

第五十八条　国家建立健全国有资本经营预算制度，对取得的国有资本收入及其支出实行预算管理。

【释义】　本条是关于国有资本经营预算制度的原则规定。

国有资本经营预算，是指国家以出资人身份依法取得国有资本收益，并对所得收益进行分配而发生的各项收支预算，是政府预算的重要组成部分。将国有资本经营收入和支出纳入预算管理，建立国有资本经营预算制度，对增强政府的宏观调控能力，完善国有企业收入分配制度，推进国有经济布局和结构的战略性调整，集中解决国有企业发展中的体制性、机制性问题，具有重要意义。

1993 年，党的十四届三中全会决定明确提出了“建立政府公共预算和国有资产经营预算”的要求。1994 年制定的预算法第二十六条第一款规定：“中央预算和地方各级政府预算按照复式预算编制。”1995 年国务院制定的《预算法实施条例》第二十条第一款规定：“各级政府预算按照复式预算编制，分为政府公共预算、国有资产经营预算、社会保障预算和其他预算。”此后，十六届三中全会、十六届六中全会、十七大的有关文件中也都对建立健全国有资本经营预算制度提出了要求。2003 年以后,一些地方如上海、北京、吉林、深圳等地开始进行建立国有资本经营预算制度的尝试。2007 年 9 月 8 日,国务院发布《国务院关于试行国有资本经营预算的意见》,决定开始试行国有资本经营预算,并对试行国有资本经营预算的指导思想和原则、国有资本经营预算的收支范围、国有资本经营预算的编制和审批、国有资本经营预算的执行以及各部门的职责分工等问题进行了规定。按照该意见的要求,中央本级国有资本经营预算从 2008 年开始实施。各地方国有资本经营预算的试行时间、范围、步骤,由各省、自治区、直辖市和计划单列市人民政府决定。

根据党的十六大、十七大提出的建立健全国有资本经营预算制度的要求,本法对建立国有资本经营预算制度作出规定。国务院和有关地方人民政府应当依据本法规定,建立国有资本经营预算制度,将国有资本收入及其支出纳入预算管理。

第五十九条　国家取得的下列国有资本收入,以及下列收入的支出,应当编制国有资本经营预算:

(一)从国家出资企业分得的利润;

(二)国有资产转让收入;

(三)从国家出资企业取得的清算收入;

(四)其他国有资本收入。

【释义】　本条是关于国有资本经营预算收支范围的

规定。

建立国有资本经营预算制度的目的是对国有资本经营收入和支出进行预算管理,国家以国家出资企业出资人身份取得的收入及其支出,都应纳入国有资本经营预算管理。

一、根据本条规定,国有资本经营预算收入的范围包括:

1. 从国家出资企业分得的利润。企业是通过从事生产、流通或者服务活动以取得经济利益的经济组织,企业取得的利润,应当依照法律和企业章程的规定向出资人分配。有关法律对国家出资企业向国家出资人分配利润都作了规定。如全民所有制工业企业法第六条规定,企业必须依法缴纳税金、利润;公司法第四条规定,公司股东依法享有资产收益的权利。国家依法从国家出资企业分得的利润,是国有资本经营预算收入的主要来源。

纳入国有资本经营预算收入范围的应是国家依法从企业"分得的利润"。企业从事生产经营活动所获得的利润,在依法实施分配之前属于企业所有,不是国有资本经营收入。企业在获得利润后,应按照有关法律的规定,弥补亏损,提取公积金并缴纳税金,其后方能依据法定程序将剩余利润向出资人进行分配。企业通常按照出资比例或者股权比例分配利润。同时,国家出资企业分配利润应当经履行出资人职责的机构同意或者由公司的股东会、股东大会作出决议。企业依照有关法律、行政法规或者企业章程规定分配给国家的利润,构成国有资本经营收入。

2. 国有资产转让收入。根据本法第二条的规定,国有资产是指国家对企业各种形式的出资所形成的权益。国家在对企业出资后,既可以通过行使出资人的资产收益权获得企业利润分配,也可以将其出资人权益转移给其他单位或者个人。国家将其出资人权益有偿转移给其他单位或者个人的行为,属于本法所说的国有资产转让;因转让而取得的收入,属于国有资本经营收入,应纳入国有资本经营预算的收入范围。

3. 从国家出资企业取得的清算收入。国家出资企业在设立以后,可能因为经营情况变化或者其他原因终止经营活动并解散。企业解散的,应当依照有关法律规定进行清算,清偿企业债务,支付职工工资及社会保险费用,缴纳所欠税款,并支付清算费用。企业在支付上述费用后剩余的财产,应按照出资比例向出资人分配。国家作为企业出资人所获得的上述收入,属于清算收入。这部分收入也应纳入国有资本经营预算的收入范围。

4. 其他国有资本收入。即国家作为国家出资企业的出资人所获得的其他收入,也应纳入国有资本经营预算的收入范围。

二、对全部国有资本经营预算收入所做的分配,即各项支出,属于国有资本经营预算支出。实践中主要包括:(1) 资本性支出,即根据产业发展规划、国有经济布局和结构调整、国有企业发展要求,以及国家战略、安全等需要,安排的支出;(2) 费用性支出,即用于弥补国有企业改革成本等方面的费用性支出;(3) 其他支出。本条对国有资本经营预算支出的具体范围未作规定,实践中应依据国家宏观经济政策统筹安排确定。

第六十条　国有资本经营预算按年度单独编制，纳入本级人民政府预算，报本级人民代表大会批准。

国有资本经营预算支出按照当年预算收入规模安排，不列赤字。

【释义】　本条是关于国有资本经营预算的编制、批准及编制原则的规定。

一、国有资本经营预算属于国家预算的重要组成部分，应遵守有关法律、行政法规关于预算编制、批准的有关规定。本条第一款主要对国有资本经营预算的编制、批准等问题作了规定：

1. 国有资本经营预算应当按年度编制。预算具有时间性，只对一定时期内的收入和支出进行安排。我国同大多数国家一样，按年度编制预算。预算法第十条规定，预算年度自公历 1 月 1 日起，至 12 月 31 日止。国有资本经营预算的编制也应遵守上述规定。

2. 国有资本经营预算应当单独编制并纳入本级人民政府预算。国有资本经营预算是一类特殊的预算，其收入和支出限于一定的范围，应当单独编制。同时，根据本法的有关规定，我国对国有资产实行统一所有、分级代表的管理方式，国务院和地方人民政府分别代表国家对国家出资企业履行出资人职责。国务院和地方人民政府应当在法定职责范围内，分别编制由其履行出资人职责的国有资本经营预算，并纳入本级人民政府预算。

3. 国有资本经营预算应当报本级人民代表大会批准。我国的预算批准权属于各级人民代表大会。预算法第三十九条规定,中央预算由全国人民代表大会审查和批准。地方各级政府预算由本级人民代表大会审查和批准。国有资本经营预算作为政府预算的组成部分,应由本级人民代表大会批准。

二、从预算收支平衡的角度,各国主要采取两大基本的预算政策,即平衡预算政策和赤字预算政策。所谓平衡预算政策,是指在一个预算年度内保持预算本身收支平衡,即预算支出不应超过预算收入;所谓赤字预算政策,是指在编制预算时有意安排预算支出大于预算收入,通过安排一部分预算赤字来刺激经济发展。我国预算法第三条规定,各级预算应当做到收支平衡。第二十八条第一款规定,地方各级预算按照量入为出、收支平衡的原则编制,不列赤字。编制国有资本经营预算也应遵循上述原则,因此本条第二款明确规定,国有资本经营预算支出应当按照预算收入规模安排,不列赤字。

第六十一条　国务院和有关地方人民政府财政部门负责国有资本经营预算草案的编制工作,履行出资人职责的机构向财政部门提出由其履行出资人职责的国有资本经营预算建议草案。

【释义】　本条是关于国有资本经营预算编制主体的规定。

关于预算的编制主体,预算法作出了明确规定,该法第十六条规定，国务院财政部门具体编制中央预算、决算草案；地方各级政府财政部门具体编制本级预算、决算草案。根据预算法的规定，我国政府预算采用复式预算方式编制。国有资本经营预算和政府公共预算、社会保障预算以及其他预算一起，共同组成政府预算。各级财政部门依照预算法的规定负责编制预算草案，自然也包括了由其编制国有资本经营预算的草案。国务院发布的《国务院关于试行国有资本经营预算的意见》也明确规定，各级财政部门负责编制国有资本经营预算草案；各级国有资产监管机构以及其他有国有企业监管职能的部门和单位，为国有资本经营预算单位，负责提出本单位年度国有资本经营预算建议草案。本条依据预算法的有关规定，并结合实践做法，将国有资本经营预算草案的编制主体规定为国务院和有关地方人民政府财政部门。同时，为了发挥包括国有资产监督管理机构在内的履行出资人职责的机构在国有资本经营预算编制过程中的作用，规定履行出资人职责的机构向财政部门提出由其履行出资人职责的国有资本经营预算建议草案。

第六十二条　国有资本经营预算管理的具体办法和实施步骤，由国务院规定，报全国人民代表大会常务委员会备案。

【释义】　本条是关于授权国务院制定国有资本经营预算管理的具体办法和实施步骤的规定。

1994 年制定的预算法和 1995 年国务院制定的《预算法实施条例》，明确规定了建立包括政府公共预算、国有资产经营预算、社会保障预算和其他预算在内的复式预算的要求。2003年以后，一些地方也开始进行建立国有资本经营预算制度的尝试。2007年国务院发布《国务院关于试行国有资本经营预算的意见》，开始在全国范围内试行国有资本经营预算制度。同时，《国务院关于试行国有资本经营预算的意见》要求：中央本级国有资本经营预算从2008年开始实施，2008年收取实施范围内企业2007年实现的国有资本收益。2007年进行国有资本经营预算试点，收取部分企业2006年实现的国有资本收益。各地区国有资本经营预算的试行时间、范围、步骤，由各省、自治区、直辖市和计划单列市人民政府决定。鉴于国有资本经营预算制度正在试行，处于逐步建立过程中，对于制度中的一些具体问题，如国有资本经营预算的支出范围等，需要通过实践总结经验，逐步完善。本法对国有资本经营预算制度只作了原则规定。对于国有资本经营预算制度的具体内容以及全面实施的具体步骤，本法授权国务院规定。

国有资本经营预算制度属于国家预算制度的重要组成部分，为了维护预算制度的统一性，依据宪法赋予的全国人大常委会监督国务院工作的职权，本条规定，国务院规定的国有资本经营预算管理的具体办法和实施步骤应当报全国人民代表大会常务委员会备案。

第七章 国有资产监督

第六十三条 各级人民代表大会常务委员会通过听取和审议本级人民政府履行出资人职责的情况和国有资产监督管理情况的专项工作报告，组织对本法实施情况的执法检查等，依法行使监督职权。

【释义】 本条是关于各级人大常委会对国有资产的管理情况以及本法的实施情况进行监督的规定。

依照宪法规定，全国人民代表大会常务委员会监督国务院的工作，县级以上地方各级人民代表大会常务委员会监督本级人民政府的工作。按照本法第四条的规定，国务院和地方人民政府分别代表国家对国家出资企业履行出资人职责，享有出资人权益。国有资产的管理情况属于政府工作的重要组成部分，各级人民代表大会常务委员会对其进行监督，属于宪法赋予的职权。同时，依照各级人民代表大会常务委员会监督法的规定，各级人民代表大会常务委员会有权对法律法规实施情况进行监督，因此对本法实施情况进行监督也属于各级人民代表大会常务委员会的职权。

根据本条规定，各级人民代表大会常务委员会主要通过以下方式对国有资产的管理情况和本法的实施情况进行监督：

1. 听取和审议本级人民政府代表国家履行出资人职责的情况和国有资产监督管理情况的专项工作报告。听取政府的专项工作报告，是各级人民代表大会常务委员会监督法规定的各级人民代表大会常务委员会行使监督权的一种重要方式。该法第八条第一款明确规定，各级人民代表大会常务委员会每年选择若干关系改革发展稳定大局和群众切身利益、社会普遍关注的重大问题，有计划地安排听取和审议本级人民政府、人民法院和人民检察院的专项工作报告。各级人民代表大会常务委员会依据该法的规定，对国有资产管理情况的专项工作报告进行审议后，审议意见交由本级人民政府研究处理；人民政府应当将研究处理情况向人民代表大会常务委员会提出书面报告。

2. 组织对本法实施情况的监督检查。各级人民代表大会常务委员会监督法第二十二条规定，各级人民代表大会常务委员会每年选择若干关系改革发展稳定大局和群众切身利益、社会普遍关注的重大问题，有计划地对有关法律、法规实施情况组织执法检查。依据这一规定和本条的规定，各级人民代表大会常务委员会可以组织对企业国有资产法实施情况的监督检查，并在检查结束后，将执法检查报告提请常务委员会审议，对企业国有资产法的实施情况作出评价，提出执法中存在的问题和改进执法工作的建议。各级人民代表大会常务委员会对执法检查报告的审议意见连同执法检查报告一并交由本级人民政府研究处理；人民政府应当将研究处理情况向人民代表大会常务委员会提出报告。

除了上述两种监督方式外，各级人民代表大会常务委员会还可以依据宪法和监督法的规定，通过其他形式对国有资产管理工作行使监督权。

第六十四条　国务院和地方人民政府应当对其授权履行出资人职责的机构履行职责的情况进行监督。

【释义】　本条是关于政府对履行出资人职责的机构进行监督的规定。

本法第十一条规定，国有资产监督管理机构和政府有关部门、机构根据本级人民政府授权，作为履行出资人职责的机构，代表本级人民政府对国家出资企业履行出资人职责。为了保证履行出资人职责的机构能够依法正确、有效地履行出资人职责，保障国有资产权益，本条专门规定国务院和地方人民政府应当对其授权履行出资人职责的机构履行职责的情况进行监督，这属于政府内部监督的一种形式。

根据本法的有关规定，各级人民政府应当从以下几个方面对履行出资人职责的机构履行职责的情况进行监督检查：

1. 对履行出资人职责的机构是否在法定职权范围内履行职责进行监督。履行出资人职责的机构的职权来自于政府的授权，应当在授权的范围内履行出资人职责。政府应当对其授权履行出资人职责的机构的履职情况进行监督检查，确保其做到履行职责不缺位、不越位、不错位。

2. 对履行出资人职责的机构是否按照法定程序履行职

责进行监督。履行出资人职责的机构应当依照本法以及公司法等法律、行政法规的规定，按照法定程序履行参与国家出资企业重大事项决定、选择管理者等职责；不能违反法定程序决定有关事项。如本法第二十四条规定，履行出资人职责的机构对拟任命或者建议任命的董事、监事、高级管理人员的人选，应当按照规定的条件和程序进行考察。履行出资人职责的机构未按照该条规定进行考察的，就违反了法定程序。国务院和地方人民政府在监督检查的过程中发现上述问题的，应要求履行出资人职责的机构改正。

3. 对履行出资人职责的机构是否有效履行职责进行监督。政府授权履行出资人职责的机构对国家出资企业履行出资人职责，主要是为了解决实践中存在的国有资产出资人缺位的问题，保障国有资产权益，促进国有资产保值增值。履行出资人职责的机构应围绕着这一目的履行职责，督促国家出资企业提高经营效益，努力实现国有资产的保值增值。也就是说，履行出资人职责的机构除了要合法、合规地履行职责外，还要有效地履行职责。各级政府也应对履行出资人职责的机构有效履行职责的情况进行监督检查。

第六十五条　国务院和地方人民政府审计机关依照《中华人民共和国审计法》的规定，对国有资本经营预算的执行情况和属于审计监督对象的国家出资企业进行审计监督。

【释义】　本条是关于审计监督的规定。

本条规定的与国有资产有关的审计监督主要包括两方面

的内容：

一、对国有资本经营预算的执行情况进行审计监督。审计法第十七条规定，审计署在国务院总理领导下，对中央预算执行情况和其他财政收支情况进行审计监督，向国务院总理提出审计结果报告。地方各级审计机关分别在本级政府主要负责人和上一级审计机关的领导下，对本级预算执行情况和其他财政收支情况进行审计监督，向本级人民政府和上一级审计机关提出审计结果报告。国有资本经营预算属于政府预算的重要组成部分，其预算执行情况应根据本条和审计法的规定接受审计监督。

二、对属于审计监督对象的国家出资企业进行审计监督。审计法第十八条第二款规定，审计机关对国有金融机构的资产、负债、损益，进行审计监督。第二十条规定，审计机关对国有企业的资产、负债、损益，进行审计监督。第二十一条规定，对国有资本占控股地位或者主导地位的企业、金融机构的审计监督，由国务院规定。依据上述规定，国有企业（包括国有金融机构）以及国有资本占控股地位或者主导地位的企业（包括国有金融机构）属于审计监督对象，应当接受审计监督。

1. 对国有企业（即企业全部资本由国有资本构成的企业，即本法所指的国有独资企业和国有独资公司）进行的审计，是指审计机关对国有企业的资产、负债、损益的真实、合法和效益进行的审查，并作出审计评价的监督活动。其目的是反映企业资产、负债和盈亏的真实情况，查处企业各种违法违规问题，维护国有资产权益，防止国有资产流失，为政府加强宏观调控服务。

2. 对国有资本占控股地位或者主导地位的企业进行审计。国有资本占控股地位或者主导地位的企业，是指国有资本占企业总资本的50%以上的企业或者国有资本在企业总资本中虽不超过50%，但占有较大比重，能够对该企业的经营决策、选择管理者等行为产生决定性影响的企业。对上述企业的审计监督，审计法只作了原则规定，并授权国务院对国有资本占控股地位或者主导地位的企业的审计监督对象、内容和方式等问题作出规定。上述国家出资企业应按照审计法和国务院的有关规定接受审计监督。

第六十六条　国务院和地方人民政府应当依法向社会公布国有资产状况和国有资产监督管理工作情况，接受社会公众的监督。

任何单位和个人有权对造成国有资产损失的行为进行检举和控告。

【释义】　本条是关于社会公众监督的规定。

一、本法第三条和第四条规定，国有资产属于国家所有即全民所有；国务院和地方人民政府分别代表国家对国家出资企业履行出资人职责。各级政府根据法律授权代表国家即全体人民对国有资产进行管理，社会公众有权了解国有资产的有关情况，并对政府和政府有关部门履行出资人职责的情况以及其他国有资产监督工作情况进行监督，督促政府依法履行出资人职责，维护国有资产权益，维护全体人民的整体利益。为便于公众监督，本条规定，国务院和地方政府应当依法公布国有资产状况和国有资产监督管理工作情况。国务院和地方人民政府应依照本法和国家有关政府信息公开的规定，向社会公布国有资产的总量、结构、变动、收益等情况以及国有资产监督管理的有关工作情况，接受社会公众的监督。当然，国有资产有关情况的公开，应遵守保护国家秘密法等有关法律、行政法规的规定，不得公开涉及国家秘密的信息。

二、对国家机关及其工作人员造成国有资产损失的行为进行检举和控告，是宪法赋予公民的一项重要权利。宪法第四十一条第一款明确规定，中华人民共和国公民对于任何国家机关和国家工作人员，有提出批评和建议的权利；对于任何国家机关和国家工作人员的违法失职行为，有向国家机关提出申诉、控告或者检举的权利。依据宪法赋予的这一权利，任何单位和个人都有权对国家机关和国家工作人员在国有资产监督管理工作中的违法失职造成国有资产损失的行为进行检举和控告。政府及政府有关部门应当对检举、控告及时作出调查处理。

第六十七条　履行出资人职责的机构根据需要，可以委托会计师事务所对国有独资企业、国有独资公司的年度财务会计报告进行审计，或者通过国有资本控股公司的股东会、股东大会决议，由国有资本控股公司聘请会计师事务所对公司的年度财务会计报告进行审计，维护出资人权益。

【释义】 本条是关于履行出资人职责的机构对国家出资企业进行审计监督的规定。

国家出资企业依法自主地进行生产经营活动,履行出资人职责的机构有权对国家出资企业的生产经营活动进行监督。履行出资人职责的机构对国家出资企业的监督,主要通过两种方式:一是通过选举监事组成监事会,由监事会对企业的生产经营活动进行监督;二是通过股东会或者股东大会对企业的重大事项作出决议,实现对企业生产经营活动的监督。实践中,企业出资人通过股东会或者股东大会决议,聘请会计师事务所对企业的财务会计报告进行审计,确保其真实度、准确度和可信度,以维护出资人的权益,是出资人对企业进行监督的一种重要方式。本条是关于这一监督方式的规定。

根据本条规定,履行出资人职责的机构通过对国家出资企业的财务会计报告进行审计而实施的监督,根据国家出资企业组织形式的不同,包括以下两种方式:

1. 对于国有独资企业、国有独资公司的审计监督。按照公司法和有关法律的规定,国有独资企业由履行出资人职责的机构对企业的重大事项作出决定;国有独资公司不设股东会,由履行出资人职责的机构行使股东会职权。据此,本条规定,履行出资人职责的机构可以根据需要委托会计师事务所对国有独资企业、国有独资公司的财务会计报告进行审计,确保其真实度、准确度。

2. 对于国有资本控股公司的审计监督。公司法规定,公司聘用、解聘承办公司审计业务的会计师事务所,依照公司章程的规定，由股东会、股东大会或者董事会决定。国有资本控股公司设有股东会或者股东大会，履行出资人职责的机构可以凭借其拥有的控股股权，通过股东会或者股东大会作出决议，由国有资本控股公司聘请其指定的会计师事务所对公司财务会计报告进行审计。

第八章 法律责任

第六十八条 履行出资人职责的机构有下列行为之一的，对其直接负责的主管人员和其他直接责任人员依法给予处分：

（一）不按照法定的任职条件，任命或者建议任命国家出资企业管理者的；

（二）侵占、截留、挪用国家出资企业的资金或者应当上缴的国有资本收入的；

（三）违反法定的权限、程序，决定国家出资企业重大事项，造成国有资产损失的；

（四）有其他不依法履行出资人职责的行为，造成国有资产损失的。

【释义】 本条是关于履行出资人职责的机构不依法履行职责应承担的法律责任的规定。

一、履行出资人职责的机构代表本级人民政府对国家出资企业履行出资人职责，应该在授权范围内，依照法律、行政法规和企业章程的规定履行职责，保障出资人权益，防止国有资产损失。履行出资人职责的机构不依法履行职责，有下列行为之一的，应根据本条规定承担相应的法律责任：

1. 不按照法定的任职条件任命或者建议任命国家出资企业管理者的。选择国家出资企业管理者是履行出资人职责的机构的一项重要职责，履行出资人职责的机构应严格按照本法和有关法律的规定，任命或者建议任命有良好的品行、有符合职位要求的专业知识和工作能力、有能够正常履行职责的身体条件以及符合法律、行政法规规定的其他条件的人员，担任国家出资企业的董事、监事、高级管理人员。不得任命或者建议任命不符合法定条件的人员担任国家出资企业的董事、监事、高级管理人员。履行出资人职责的机构违反上述规定，应当承担相应的法律责任。

2. 侵占、截留、挪用国家出资企业的资金或者应当上缴的国有资本收入的。这一项规定了两类违法行为：一是侵占、挪用国家出资企业的资金，侵犯国家出资企业合法财产权益的行为；二是侵占、截留、挪用应当上缴的国有资本收入，侵犯国家财产权益的行为。对这两类违法行为，应依照本条规定追究法律责任。

3. 违反法定的权限、程序，决定国家出资企业重大事项，造成国有资产损失的。参与国家出资企业重大事项决策，是履行出资人职责的机构的重要权利。这项权利的行使，应在法定权限内进行：哪些事项可以由履行出资人职责的机构决定；哪些事项应由履行出资人职责的机构报本级人民政府批准；哪些事项应由企业的股东会或者股东大会决定，履行出资人职责的机构可以通过委派代表参加股东会会议或者股东大会会议发表意见，行使表决权；哪些事项应由企业的董事会决定，履行出资人职责的机构不能直接决定，等等，都应依照法律、行政法规、本级人民政府的授权以及企业章程的规定进行。同时，履行出资人职责的机构应该依照法定程序履行职责。违反上述规定，履行出资人职责的机构也应承担相应的法律责任。

4. 其他不依法履行出资人职责，造成国有资产损失的行为。

二、履行出资人职责的机构不依法履行职责的，依照本条规定，对其直接负责的主管人员和其他直接责任人员给予处分。这里讲的处分是指国家机关根据法律、行政法规的规定，按照行政隶属关系，对犯有较轻违法行为的人员给予的制裁。本条规定的处分对象是违法的履行出资人职责的机构的直接负责的主管人员和其他直接责任人员，即在违法行为中负有直接领导责任的人员，包括违法行为的决策人，事后对单位违法行为予以认可和支持的领导人员，由于疏于管理或放任、因而对单位违法行为负有不可推卸责任的领导人员，以及直接实施违法行为的人员。处分的种类，按照公务员法的规定，包括警告、记过、记大过、降级、撤职、开除六种。

第六十九条　履行出资人职责的机构的工作人员玩忽职守、滥用职权、徇私舞弊，尚不构成犯罪的，依法给予处分。

【释义】 本条是关于履行出资人职责的机构的工作人员渎职行为的法律责任的规定。

依照本法的有关规定，履行出资人职责的机构应当在本级政府授权的范围内，依照法律、行政法规和企业章程的规定履行出资人职责。履行出资人职责的机构履行职责是通过其工作人员进行的，因此上述要求对履行出资人职责的机构的工作人员同样适用；其工作人员违反上述规定，玩忽职守、滥用职权、徇私舞弊，尚不构成犯罪的，应根据本条规定承担相应的法律责任。

本条规定的“滥用职权”是指履行出资人职责的机构的工作人员违反法律规定的权限和程序，滥用职权或者超越职权的行为；“玩忽职守”是指履行出资人职责的机构的工作人员不履行、不正确履行或者放弃履行其职责的行为；“徇私舞弊”是指履行出资人职责的机构的工作人员为徇个人私利或者亲友私情，置法律规定和国家利益于不顾的行为。

根据本条规定，履行出资人职责的机构的工作人员玩忽职守、滥用职权、徇私舞弊，尚不构成犯罪的，应当依据有关法律规定根据其情节轻重依法给予警告、记过、记大过、降级、撤职、开除等处分。

第七十条　履行出资人职责的机构委派的股东代表未按照委派机构的指示履行职责，造成国有资产损失的，依法承担赔偿责任；属于国家工作人员的，并依法给予处分。

【释义】　本条是关于股东代表的违法行为的法律责任的规定。

股东代表以股东的名义参加股东会、股东大会会议，并在股东授权的范围内行使权利。公司法第一百零七条规定，股东可以委托代理人出席股东大会会议，代理人应当向公司提交股东授权委托书，并在授权范围内行使表决权。本法第十三条对股东代表的职责和义务进行了明确规定，履行出资人职责的机构委派的股东代表参加国有资本控股公司、国有资本参股公司召开的股东会会议、股东大会会议，应当按照委派机构的指示提出提案、发表意见、行使表决权，并将其履行职责的情况和结果及时报告委派机构。

股东代表违反上述规定，不按照委派机构的指示履行职责，造成国有资产损失的，应根据本条规定承担以下法律责任：(1)依法承担赔偿责任。(2)股东代表属于国家工作人员的，依法给予处分。国家工作人员，是指国家机关中从事公务的人员以及其他依照法律规定从事公务的人员。实践中的股东代表主要有两种类型：一种是履行出资人职责的机构的工作人员，根据履行出资人职责的机构的委派，担任股东代表；另一种是履行出资人职责的机构委派其他机构、企业的有关人员担任股东代表。股东代表有本条规定的违法行为，且属于国家工作人员的，应依法给予警告、记过、记大过、降级、撤职、开除等处分。

第七十一条　国家出资企业的董事、监事、高级管理人员有下列行为之一，造成国有资产损失的，依法承担赔偿责任；属于国家工作人员的，并依法给予处分：

（一）利用职权收受贿赂或者取得其他非法收入和不当利益的；

（二）侵占、挪用企业资产的；

（三）在企业改制、财产转让等过程中，违反法律、行政法规和公平交易规则，将企业财产低价转让、低价折股的；

（四）违反本法规定与本企业进行交易的；

（五）不如实向资产评估机构、会计师事务所提供有关情况和资料，或者与资产评估机构、会计师事务所串通出具虚假资产评估报告、审计报告的；

（六）违反法律、行政法规和企业章程规定的决策程序，决定企业重大事项的；

（七）有其他违反法律、行政法规和企业章程执行职务行为的。

国家出资企业的董事、监事、高级管理人员因前款所列行为取得的收入，依法予以追缴或者归国家出资企业所有。

履行出资人职责的机构任命或者建议任命的董事、监事、高级管理人员有本条第一款所列行为之一，造成国有资产重大损失的，由履行出资人职责的机构依法予以免职或者提出免职建议。

【释义】 本条是关于国家出资企业董事、监事、高级管理人员违法行为的法律责任的规定。

一、本法第二十六条明确规定，国家出资企业的董事、监事、高级管理人员，应当遵守法律、行政法规以及企业章程，对企业负有忠实义务和勤勉义务，不得利用职权收受贿赂或者其他非法收入和不当利益，不得侵占、挪用企业资产，不得有其他侵害国有资产权益的行为，不得超越职权或者违反程序决定企业重大事项。违反上述规定，有下列行为之一的，应根据本条规定承担相应的法律责任：

1. 利用职权收受贿赂或者取得其他非法收入和不当利益的。这主要是董事、监事、高级管理人员利用与履行职务有关的方便条件，收受他人的金钱、有价证券、礼品及各种物品，或者接受他人提供的免费旅游、服务等不当利益的行为。这种行为是对忠实义务的严重违反，直接损害了国家出资企业以及出资人的利益，是法律予以绝对禁止的。

2. 侵占、挪用企业资产的。企业的资产归企业所有，是企业进行生产经营活动的物质基础，任何单位和个人都不得侵占或者挪用，否则不但损害了企业的利益，还可能损害企业债权人的利益。这种行为，法律也是严格禁止的。

3. 在企业改制、财产转让等过程中，违反法律、行政法规和公平交易规则，将企业财产低价转让、低价折股的。本法第三十条规定，国家出资企业转让重大财产等重大事项，应当遵守法律、行政法规以及企业章程的规定，不得损害国有资产出资人和其他出资人以及债权人的权益；第四十二条规定，企业改制涉及以企业的非货币财产折算为国有资本出资或者股份的，应当按照规定对折价财产进行评估，以评估确认价格作为确定国有资本出资额或者股份数额的依据。不得将财产低价折股或者有其他损害出资人权益的行为。违反上述规定，将企业财产低价转让、低价折股的，应承担相应的法律责任。

4. 违反本法规定与本企业进行交易的。本法第五章第三节专门对国家出资企业与关联方的交易进行了规定，如禁止国有独资企业、国有独资公司、国有资本控股公司无偿向关联方提供资金、商品、服务或者其他资产，禁止上述企业以不公平的价格与关联方进行交易等。违反本法有关规定与本企业进行交易的，应根据本条规定承担法律责任。

5. 不如实向资产评估机构、会计师事务所提供有关情况和资料，或者与资产评估机构、会计师事务所串通出具虚假资产评估报告、审计报告的。本法第四十九条明确规定，国有独资企业、国有独公司、国有资本控股公司及其董事、监事、高级管理人员应当向资产评估机构如实提供有关情况和资料，不得与资产评估机构串通评估作价。违反上述规定，向会计师事务所隐瞒或者提供虚假情况，或者串通出具虚假审计报告，属于违反忠实义务的行为。有上述行为的，应承担相应的法律责任。

6. 违反法律、行政法规和企业章程规定的决策程序，决定企业重大事项的。国家出资企业的重大事项，应依据法律、行政法规和企业章程的规定，分别由履行出资人职责的机构、股东会（大会）、董事会决定；违反程序、超越职权范围决定企业重大事项的，应承担相应的法律责任。

7. 有其他违反法律、行政法规和企业章程执行职务的行为的。

二、国家出资企业的董事、监事、高级管理人员有本条规定的违法行为，造成国有资产损失的，应当依法赔偿国家出资企业的损失；属于国家机关中从事公务的人员以及其他依照法律规定从事公务的人员的，依法给予警告、记过、记大过、降级、撤职或者开除等处分。

为避免董事、监事、高级管理人员通过实施本条规定的违法行为获利，本条第二款专门规定，对上述人员因本条所列行为取得的收入，有关部门在查处上述人员违法行为的时候应当依法追缴，将其收归国有或者退还国家出资企业。

三、根据本条第三款和本法的有关规定，国有独资企业的经理、副经理、财务负责人和其他高级管理人员，国有独资公司的董事长、副董事长、董事、监事会主席和监事，有本条规定的违法行为，造成国有资产重大损失的，履行出资人职责的机构可以依法予以免职；国有资本控股公司、国有资本参股公司的董事、监事有本条规定的违法行为，造成国有资产重大损失的，履行出资人职责的机构可以依法向公司的股东会、股东大会提出免职的建议。

第七十二条　在涉及关联方交易、国有资产转让等交易活动中，当事人恶意串通，损害国有资产权益的，该交易行为无效。

【释义】　本条是关于恶意串通损害国有资产权益的行为无效的规定。

本法对实践中容易出现国有资产流失情况的关联方交易、国有资产转让等交易活动，规定了严格的程序。如禁止国家出资企业无偿向关联方提供资金、商品、服务或者其他资产，不得以不公平的价格与关联方进行交易；国有资产转让应当公开、公平、公正，在依法设立的产权交易场所公开进行，等等。同时,对违反上述规定的单位和个人规定了相应的法律责任,包括承担赔偿责任,属于国家工作人员的还要给予处分。为了更好地维护国有资产权益,本条专门规定:在涉及关联方交易、国有资产转让等交易活动中,当事人恶意串通,损害国有资产权益的,该交易行为无效。根据这一规定,当事人恶意违反程序进行的交易活动,自始不具有法律效力,已经进行的财产转让、转移等行为无效,财产状况应该恢复到行为发生前的状态。这一规定,是与合同法第五十二条第(二)项关于"恶意串通,损害国家、集体或者第三人利益"的合同无效的规定相衔接的。

第七十三条　国有独资企业、国有独资公司、国有资本控股公司的董事、监事、高级管理人员违反本法规定,造成国有资产重大损失,被免职的,自免职之日起五年内不得担任国有独资企业、国有独资公司、国有资本控股公司的董事、监事、高级管理人员;造成国有资产特别重大损失,或者因贪污、贿赂、侵占财产、挪用财产或者破坏社会主义市场经济秩序被判处刑罚的,终身不得担任国有独资企业、国有独资公司、国有资本控股公司的董事、监事、高级管理人员。

【释义】　本条是对有严重违法行为的国家出资企业管理者实行资格罚的规定。

本条规定的资格罚,是指对有严重违法行为的国有独资企业、国有独资公司、国有资本控股公司的董事、监事、高级管理人员,在一定期限内或者终身禁止其再担任国家出资企业管理者的处罚。有关法律对此也有相关规定。如公司法第一百四十七条第一款第(二)项规定,因贪污、贿赂、侵占财产、挪用财产或者破坏社会主义市场经济秩序,被判处刑罚,执行期满未逾五年,或者因犯罪被剥夺政治权利,执行期满未逾五年的,不得担任公司的董事、监事、高级管理人员。证券法第二百三十三条规定,违反法律、行政法规或者国务院证券监督管理机构的有关规定,情节严重的,国务院证券监督管理机构可以对有关责任人员采取在一定期限内直至终身不得担任上市公司董事、监事、高级管理人员的制裁。

依照本条规定,对国有独资企业、国有独资公司、国有资本控股公司的董事、监事、高级管理人员违反本法规定,造成国有资产重大损失,被免职的,自免职之日起五年内不得担任国有独资企业、国有独资公司、国有资本控股公司的董事、监事、高级管理人员;造成国有资产特别重大损失,或者因贪污、贿赂、侵占财产、挪用财产或者破坏社会主义市场经济秩序被判处刑罚的,终身不得担任国有独资企业、国有独资公司、国有资本控股公司的董事、监事、高级管理人员。

第七十四条　接受委托对国家出资企业进行资产评估、财务审计的资产评估机构、会计师事务所违反法律、行政法规的规定和执业准则,出具虚假的资产评估报告或者审计报告的,依照有关法律、行政法规的规定追究法律责任。

【释义】 本条是关于资产评估机构、会计师事务所违反本法规定的法律责任的规定。

资产评估机构、会计师事务所等中介机构在市场交易活动中发挥着重要作用,其所出具的资产评估报告、审计报告,是国家出资企业从事市场交易等活动的重要参考依据,也是对企业的生产经营活动进行监督的重要依据。上述中介机构应当依照法律、行政法规和职业准则的规定,独立、客观、公正地从事中介服务,提供准确的资产评估报告和审计报告。本法和有关法律、行政法规对此均作出了明确规定。根据本条规定,接受委托对国家出资企业进行资产评估、财务审计的资产评估机构、会计师事务所违反法律、行政法规的规定和执业准则,出具虚假的资产评估报告或者审计报告的,应承担相应的法律责任。由于其他法律、行政法规对中介机构违法行为的法律责任已经作出了明确规定,因此本条规定对资产评估机构、会计师事务所的违法行为,依照有关法律、行政法规的规定追究法律责任。如公司法第二百零八条明确规定:"承担资产评估、验资或者验证的机构提供虚假材料的,由公司登记机关没收违法所得,处以违法所得一倍以上五倍以下的罚款,并可以由有关主管部门依法责令该机构停业、吊销直接责任人员的资格证书,吊销营业执照。""承担资产评估、验资或者验证的机构因过失提供有重大遗漏的报告的,由公司登记机关责令改正,情节较重的,处以所得收入一倍以上五倍以下的罚款,并可以由有关主管部门依法责令该机构停业、吊销直接责任人员的资格证书,吊销营业执照。""承担资产评估、验资或者验证的机构因其出具的评估结果、验资或者验证证明不实,给公司债权人造成损失的,除能够证明自己没有过错的外,在其评估或者证明不实的金额范围内承担赔偿责任。”注册会计师法第三十九条第二款规定,会计师事务所违反该法第二十条、第二十一条规定的,不按照执业准则、规则确定的工作程序出具报告,有法律规定的违法行为的,“由省级以上人民政府财政部门给予警告,没收违法所得,可以并处违法所得一倍以上五倍以下的罚款;情节严重的,并可以由省级以上人民政府财政部门暂停其经营业务或者予以撤销”。其他法律、行政法规对资产评估机构、会计师事务所的其他违法行为规定了法律责任的,也应依照其规定执行。

第七十五条　违反本法规定,构成犯罪的,依法追究刑事责任。

【释义】　本条是对本法规定的违法行为应承担的刑事责任的规定。

刑事责任是刑事法律规定的犯罪行为所应承担的法律后果。履行出资人职责的机构的工作人员、国家出资企业的管理者以及其他有关当事人如果有本法规定的违法行为,且其行为符合我国刑法所规定的犯罪构成要件的,就要依据刑法有关条款的规定承担相应的刑事责任。根据本法和刑法的有关规定,违反本法规定,构成犯罪的行为,依据主体的不同,主要包括三类:

1. 履行出资人职责的机构的工作人员违反本法规定,构成的犯罪,主要包括:(1)贪污罪。刑法第三百八十二条第一款规定,国家工作人员利用职务上的便利,侵吞、窃取、骗取或者以其他手段非法占有公共财物的，是贪污罪。(2)挪用公款罪。刑法第三百八十四条第一款规定，国家工作人员利用职务上的便利，挪用公款归个人使用，进行非法活动的，或者挪用公款数额较大、进行营利活动的，或者挪用公款数额较大、超过三个月未还的，是挪用公款罪。(3)受贿罪。刑法第三百八十五条第一款规定，国家工作人员利用职务上的便利，索取他人财物的，或者非法收受他人财物，为他人谋取利益的，是受贿罪。(4)滥用职权或者玩忽职守罪。刑法第三百九十七条第一款规定，国家机关工作人员滥用职权或者玩忽职守，致使公共财产、国家和人民利益遭受重大损失的，构成滥用职权或者玩忽职守罪。

2. 国家出资企业的董事、监事、高级管理人员违反本法规定，所构成的犯罪。主要包括：(1)公司、企业人员受贿罪。刑法第一百六十三条第一款规定，公司、企业或者其他单位的工作人员利用职务上的便利，索取他人财物或者非法收受他人财物，为他人谋取利益，数额较大的，构成公司、企业人员受贿罪。(2)非法经营同类营业罪。刑法第一百六十五条规定，国有公司、企业的董事、经理利用职务便利，自己经营或者为他人经营与其所任职公司、企业同类的营业，获取非法利益，数额巨大的，构成非法经营同类营业罪。(3)为亲友非法牟利罪。刑法第一百六十六条规定，国有公司、企业、事业单位的工作人员，利用职务便利，有下列情形之一，使国家利益遭受重大损失的，构成为亲友非法牟利罪：将本单位的盈利业务交由自己的亲友进行经营的；以明显高于市场的价格向自己的亲友经营管理的单位采购商品或者以明显低于市场的价格向自己的亲友经营管理的单位销售商品的；向自己的亲友经营管理的单位采购不合格商品的。（4）签订、履行合同失职被骗罪。刑法第一百六十七条规定，国有公司、企业、事业单位直接负责的主管人员，在签订、履行合同过程中，因严重不负责任被诈骗，致使国家利益遭受重大损失的，构成签订、履行合同失职被骗罪。（5）徇私舞弊造成破产、亏损罪。刑法第一百六十八条第一款规定，国有公司、企业的工作人员，由于严重不负责任或者滥用职权，造成国有公司、企业破产或者严重损失，致使国家利益遭受重大损失的，构成徇私舞弊造成破产、亏损罪。（6）徇私舞弊低价折股、出售国有资产罪。刑法第一百六十九条规定，国有公司、企业或者其上级主管部门直接负责的主管人员，徇私舞弊，将国有资产低价折股或者低价出售，致使国家利益遭受重大损失的，构成徇私舞弊低价折股、出售国有资产罪。（7）职务侵占罪。刑法第二百七十一条第一款规定，公司、企业或者其他单位的人员，利用职务上的便利，将本单位财物非法占为己有，数额较大的，构成职务侵占罪。（8）挪用资金罪。刑法第二百七十二条第一款规定，公司、企业或者其他单位的工作人员，利用职务上的便利，挪用本单位资金归个人使用或者借贷给他人，数额较大、超过三个月未还的，或者虽未超过三个月，但数额较大、进行营利活动的，或者进行非法活动的，构成挪用资金罪。

3. 资产评估机构、会计师事务所违反本法规定，构成的犯罪。主要是指中介组织人员提供虚假证明文件罪和中介组织人员出具证明文件重大失实罪。刑法第二百二十九条规定，承担资产评估、验资、验证、会计、审计、法律服务等职责的中介组织的人员故意提供虚假证明文件，情节严重的，构成中介组织人员提供虚假证明文件罪；中介机构的人员严重不负责任，出具的证明文件有重大失实，造成严重后果的，构成中介组织人员出具证明文件重大失实罪。

刑法对上述各类犯罪的刑罚种类以及量刑等都作出了明确规定。违反本法规定，构成上述犯罪或者刑法规定的其他犯罪的，应依照刑法规定的刑罚种类和幅度追究其刑事责任。

第九章 附 则

第七十六条 金融企业国有资产的管理与监督，法律、行政法规另有规定的，依照其规定。

【释义】 本条是关于金融企业国有资产对本法适用的规定。

本法第二条规定，企业国有资产是指国家对企业各种形式的出资所形成的权益。国家对金融企业的出资所形成的权益，即金融企业国有资产，属于企业国有资产的重要组成部分。因此，金融企业国有资产的管理与监督，同样要适用本法。国家出资的金融企业要遵守本法关于国家出资企业管理的有关规定；对国家出资的金融企业履行出资人职责的机构，也要按照本法的有关规定履行出资人职责。

同时，鉴于金融企业具有的特殊性，有关法律如商业银行法、银行业监督管理法、证券法、保险法等以及国务院制定的相关行政法规，对金融企业的管理作了专门规定，为与这些法律、行政法规的规定相衔接，本条规定：金融企业国有资产的管理与监督，法律、行政法规另有规定的，依照其规定。

第七十七条 本法自 2009 年 5 月 1 日起施行。

【释义】 本条是关于本法的施行日期的规定。

本法自2009年5月1日起施行。本法从2008年10月28日通过到施行之日,有6个月左右的时间。在这段时间内,有关方面应抓紧做好本法施行的各项准备工作。一是要认真清理现行的法规、规章等,凡与本法规定相抵触的,应予废止或修改;二是应抓紧制定新的相关配套规定;三是应做好本法的宣传工作,保证本法切实得到贯彻实施。

第三部分 附 录

附录一：企业国有资产法及相关法律、行政法规

中华人民共和国企业国有资产法

（2008 年 10 月 28 日第十一届全国人民代表大会常务委员会第五次会议通过
2008 年 10 月 28 日中华人民共和国主席令第 5 号公布
自 2009 年 5 月 1 日起施行）

目 录

第一章 总 则
第二章 履行出资人职责的机构
第三章 国家出资企业
第四章 国家出资企业管理者的选择与考核

第五章　关系国有资产出资人权益的重大事项
　第一节　一般规定
　第二节　企业改制
　第三节　与关联方的交易
　第四节　资产评估
　第五节　国有资产转让
第六章　国有资本经营预算
第七章　国有资产监督
第八章　法律责任
第九章　附　　则

第一章　总　　则

第一条　为了维护国家基本经济制度,巩固和发展国有经济,加强对国有资产的保护,发挥国有经济在国民经济中的主导作用,促进社会主义市场经济发展,制定本法。

第二条　本法所称企业国有资产(以下称国有资产),是指国家对企业各种形式的出资所形成的权益。

第三条　国有资产属于国家所有即全民所有。国务院代表国家行使国有资产所有权。

第四条　国务院和地方人民政府依照法律、行政法规的规定,分别代表国家对国家出资企业履行出资人职责,享有出资人权益。

国务院确定的关系国民经济命脉和国家安全的大型国家出资企业,重要基础设施和重要自然资源等领域的国家出资企业,由国务院代表国家履行出资人职责。其他的国家出资企业,由地方人民政府代表国家履行出资人职责。

第五条　本法所称国家出资企业,是指国家出资的国有独资企业、国有独资公司，以及国有资本控股公司、国有资本参股公司。

第六条 国务院和地方人民政府应当按照政企分开、社会公共管理职能与国有资产出资人职能分开、不干预企业依法自主经营的原则，依法履行出资人职责。

第七条 国家采取措施，推动国有资本向关系国民经济命脉和国家安全的重要行业和关键领域集中，优化国有经济布局和结构，推进国有企业的改革和发展，提高国有经济的整体素质，增强国有经济的控制力、影响力。

第八条 国家建立健全与社会主义市场经济发展要求相适应的国有资产管理与监督体制，建立健全国有资产保值增值考核和责任追究制度，落实国有资产保值增值责任。

第九条 国家建立健全国有资产基础管理制度。具体办法按照国务院的规定制定。

第十条 国有资产受法律保护，任何单位和个人不得侵害。

第二章 履行出资人职责的机构

第十一条 国务院国有资产监督管理机构和地方人民政府按照国务院的规定设立的国有资产监督管理机构，根据本级人民政府的授权，代表本级人民政府对国家出资企业履行出资人职责。

国务院和地方人民政府根据需要，可以授权其他部门、机构代表本级人民政府对国家出资企业履行出资人职责。

代表本级人民政府履行出资人职责的机构、部门，以下统称履行出资人职责的机构。

第十二条 履行出资人职责的机构代表本级人民政府对国家出资企业依法享有资产收益、参与重大决策和选择管理者等出资人权利。

履行出资人职责的机构依照法律、行政法规的规定，制定或者参与制定国家出资企业的章程。

履行出资人职责的机构对法律、行政法规和本级人民政府规定须经本级人民政府批准的履行出资人职责的重大事项，应当报请本级人民政府批准。

第十三条　履行出资人职责的机构委派的股东代表参加国有资本控股公司、国有资本参股公司召开的股东会会议、股东大会会议，应当按照委派机构的指示提出提案、发表意见、行使表决权，并将其履行职责的情况和结果及时报告委派机构。

第十四条　履行出资人职责的机构应当依照法律、行政法规以及企业章程履行出资人职责，保障出资人权益，防止国有资产损失。

履行出资人职责的机构应当维护企业作为市场主体依法享有的权利，除依法履行出资人职责外，不得干预企业经营活动。

第十五条　履行出资人职责的机构对本级人民政府负责，向本级人民政府报告履行出资人职责的情况，接受本级人民政府的监督和考核，对国有资产的保值增值负责。

履行出资人职责的机构应当按照国家有关规定，定期向本级人民政府报告有关国有资产总量、结构、变动、收益等汇总分析的情况。

第三章　国家出资企业

第十六条　国家出资企业对其动产、不动产和其他财产依照法律、行政法规以及企业章程享有占有、使用、收益和处分的权利。

国家出资企业依法享有的经营自主权和其他合法权益受法律保护。

第十七条　国家出资企业从事经营活动，应当遵守法律、行政法规，加强经营管理，提高经济效益，接受人民政府及其有关部门、机构依法实施的管理和监督，接受社会公众的监督，承担社会责任，对出资人负责。

国家出资企业应当依法建立和完善法人治理结构，建立健全内部监督管理和风险控制制度。

第十八条 国家出资企业应当依照法律、行政法规和国务院财政部门的规定，建立健全财务、会计制度，设置会计账簿，进行会计核算，依照法律、行政法规以及企业章程的规定向出资人提供真实、完整的财务、会计信息。

国家出资企业应当依照法律、行政法规以及企业章程的规定，向出资人分配利润。

第十九条 国有独资公司、国有资本控股公司和国有资本参股公司依照《中华人民共和国公司法》的规定设立监事会。国有独资企业由履行出资人职责的机构按照国务院的规定委派监事组成监事会。

国家出资企业的监事会依照法律、行政法规以及企业章程的规定，对董事、高级管理人员执行职务的行为进行监督，对企业财务进行监督检查。

第二十条 国家出资企业依照法律规定，通过职工代表大会或者其他形式，实行民主管理。

第二十一条 国家出资企业对其所出资企业依法享有资产收益、参与重大决策和选择管理者等出资人权利。

国家出资企业对其所出资企业，应当依照法律、行政法规的规定，通过制定或者参与制定所出资企业的章程，建立权责明确、有效制衡的企业内部监督管理和风险控制制度，维护其出资人权益。

第四章 国家出资企业管理者的选择与考核

第二十二条 履行出资人职责的机构依照法律、行政法规以及企业章程的规定，任免或者建议任免国家出资企业的下列人员：

（一）任免国有独资企业的经理、副经理、财务负责人和其他高级管理人员；

（二）任免国有独资公司的董事长、副董事长、董事、监事会主席和监事；

（三）向国有资本控股公司、国有资本参股公司的股东会、股东大会提出董事、监事人选。

国家出资企业中应当由职工代表出任的董事、监事，依照有关法律、行政法规的规定由职工民主选举产生。

第二十三条　履行出资人职责的机构任命或者建议任命的董事、监事、高级管理人员，应当具备下列条件：

（一）有良好的品行；

（二）有符合职位要求的专业知识和工作能力；

（三）有能够正常履行职责的身体条件；

（四）法律、行政法规规定的其他条件。

董事、监事、高级管理人员在任职期间出现不符合前款规定情形或者出现《中华人民共和国公司法》规定的不得担任公司董事、监事、高级管理人员情形的，履行出资人职责的机构应当依法予以免职或者提出免职建议。

第二十四条　履行出资人职责的机构对拟任命或者建议任命的董事、监事、高级管理人员的人选，应当按照规定的条件和程序进行考察。考察合格的，按照规定的权限和程序任命或者建议任命。

第二十五条　未经履行出资人职责的机构同意，国有独资企业、国有独资公司的董事、高级管理人员不得在其他企业兼职。未经股东会、股东大会同意，国有资本控股公司、国有资本参股公司的董事、高级管理人员不得在经营同类业务的其他企业兼职。

未经履行出资人职责的机构同意，国有独资公司的董事长不得兼任经理。未经股东会、股东大会同意，国有资本控股公司的董事长不得兼任经理。

董事、高级管理人员不得兼任监事。

第二十六条 国家出资企业的董事、监事、高级管理人员，应当遵守法律、行政法规以及企业章程，对企业负有忠实义务和勤勉义务，不得利用职权收受贿赂或者取得其他非法收入和不当利益，不得侵占、挪用企业资产，不得超越职权或者违反程序决定企业重大事项，不得有其他侵害国有资产出资人权益的行为。

第二十七条 国家建立国家出资企业管理者经营业绩考核制度。履行出资人职责的机构应当对其任命的企业管理者进行年度和任期考核，并依据考核结果决定对企业管理者的奖惩。

履行出资人职责的机构应当按照国家有关规定，确定其任命的国家出资企业管理者的薪酬标准。

第二十八条 国有独资企业、国有独资公司和国有资本控股公司的主要负责人，应当接受依法进行的任期经济责任审计。

第二十九条 本法第二十二条第一款第一项、第二项规定的企业管理者，国务院和地方人民政府规定由本级人民政府任免的，依照其规定。履行出资人职责的机构依照本章规定对上述企业管理者进行考核、奖惩并确定其薪酬标准。

第五章 关系国有资产出资人权益的重大事项

第一节 一般规定

第三十条 国家出资企业合并、分立、改制、上市，增加或者减少注册资本，发行债券，进行重大投资，为他人提供大额担保，转让重大财产，进行大额捐赠，分配利润，以及解散、申请破产等重大事项，应当遵守法律、行政法规以及企业章程的规定，不得损害出资人和债权人的权益。

第三十一条 国有独资企业、国有独资公司合并、分立，增加或者减少注册资本，发行债券，分配利润，以及解散、申请破产，由履行出资人职责的机构决定。

第三十二条 国有独资企业、国有独资公司有本法第三十条所列事项的，除依照本法第三十一条和有关法律、行政法规以及企业章程的规定，由履行出资人职责的机构决定的以外，国有独资企业由企业负责人集体讨论决定，国有独资公司由董事会决定。

第三十三条 国有资本控股公司、国有资本参股公司有本法第三十条所列事项的，依照法律、行政法规以及公司章程的规定，由公司股东会、股东大会或者董事会决定。由股东会、股东大会决定的，履行出资人职责的机构委派的股东代表应当依照本法第十三条的规定行使权利。

第三十四条 重要的国有独资企业、国有独资公司、国有资本控股公司的合并、分立、解散、申请破产以及法律、行政法规和本级人民政府规定应当由履行出资人职责的机构报经本级人民政府批准的重大事项，履行出资人职责的机构在作出决定或者向其委派参加国有资本控股公司股东会会议、股东大会会议的股东代表作出指示前，应当报请本级人民政府批准。

本法所称的重要的国有独资企业、国有独资公司和国有资本控股公司，按照国务院的规定确定。

第三十五条 国家出资企业发行债券、投资等事项，有关法律、行政法规规定应当报经人民政府或者人民政府有关部门、机构批准、核准或者备案的，依照其规定。

第三十六条 国家出资企业投资应当符合国家产业政策，并按照国家规定进行可行性研究；与他人交易应当公平、有偿，取得合理对价。

第三十七条 国家出资企业的合并、分立、改制、解散、申请破产等重大事项，应当听取企业工会的意见，并通过职工代表大会或者其他形式听取职工的意见和建议。

第三十八条 国有独资企业、国有独资公司、国有资本控股公司对其所出资企业的重大事项参照本章规定履行出资人职责。具体办法由国务院规定。

第二节 企业改制

第三十九条 本法所称企业改制是指：

（一）国有独资企业改为国有独资公司；

（二）国有独资企业、国有独资公司改为国有资本控股公司或者非国有资本控股公司；

（三）国有资本控股公司改为非国有资本控股公司。

第四十条 企业改制应当依照法定程序，由履行出资人职责的机构决定或者由公司股东会、股东大会决定。

重要的国有独资企业、国有独资公司、国有资本控股公司的改制，履行出资人职责的机构在作出决定或者向其委派参加国有资本控股公司股东会会议、股东大会会议的股东代表作出指示前，应当将改制方案报请本级人民政府批准。

第四十一条 企业改制应当制定改制方案，载明改制后的企业组织形式、企业资产和债权债务处理方案、股权变动方案、改制的操作程序、资产评估和财务审计等中介机构的选聘等事项。

企业改制涉及重新安置企业职工的，还应当制定职工安置方案，并经职工代表大会或者职工大会审议通过。

第四十二条 企业改制应当按照规定进行清产核资、财务审计、资产评估，准确界定和核实资产，客观、公正地确定资产的价值。

企业改制涉及以企业的实物、知识产权、土地使用权等非货币财产折算为国有资本出资或者股份的，应当按照规定对折价财产进行评估，以评估确认价格作为确定国有资本出资额或者股份数额的依据。不得将财产低价折股或者有其他损害出资人权益的行为。

第三节 与关联方的交易

第四十三条 国家出资企业的关联方不得利用与国家出资企业之间的交易，谋取不当利益，损害国家出资企业利益。

本法所称关联方，是指本企业的董事、监事、高级管理人员及其近亲属，以及这些人员所有或者实际控制的企业。

第四十四条 国有独资企业、国有独资公司、国有资本控股公司不得无偿向关联方提供资金、商品、服务或者其他资产，不得以不公平的价格与关联方进行交易。

第四十五条 未经履行出资人职责的机构同意，国有独资企业、国有独资公司不得有下列行为：

（一）与关联方订立财产转让、借款的协议；

（二）为关联方提供担保；

（三）与关联方共同出资设立企业，或者向董事、监事、高级管理人员或者其近亲属所有或者实际控制的企业投资。

第四十六条 国有资本控股公司、国有资本参股公司与关联方的交易，依照《中华人民共和国公司法》和有关行政法规以及公司章程的规定，由公司股东会、股东大会或者董事会决定。由公司股东会、股东大会决定的，履行出资人职责的机构委派的股东代表，应当依照本法第十三条的规定行使权利。

公司董事会对公司与关联方的交易作出决议时，该交易涉及的董事不得行使表决权,也不得代理其他董事行使表决权。

第四节 资产评估

第四十七条 国有独资企业、国有独资公司和国有资本控股公司合并、分立、改制,转让重大财产,以非货币财产对外投资,清算或者有法律、行政法规以及企业章程规定应当进行资产评估的其他情形的,应当按照规定对有关资产进行评估。

第四十八条 国有独资企业、国有独资公司和国有资本控股公司应当委托依法设立的符合条件的资产评估机构进行资产评估;涉及应当报经履行出资人职责的机构决定的事项的,应当将委托资产评估机构的情况向履行出资人职责的机构报告。

第四十九条 国有独资企业、国有独资公司、国有资本控股公司及其董事、监事、高级管理人员应当向资产评估机构如实提供有关情况和资料,不得与资产评估机构串通评估作价。

第五十条 资产评估机构及其工作人员受托评估有关资产,应当遵守法律、行政法规以及评估执业准则,独立、客观、公正地对受托评估的资产进行评估。资产评估机构应当对其出具的评估报告负责。

第五节 国有资产转让

第五十一条 本法所称国有资产转让,是指依法将国家对企业的出资所形成的权益转移给其他单位或者个人的行为;按照国家规定无偿划转国有资产的除外。

第五十二条 国有资产转让应当有利于国有经济布局和结构的战略性调整,防止国有资产损失,不得损害交易各方的合法权益。

第五十三条 国有资产转让由履行出资人职责的机构决定。履行出资人职责的机构决定转让全部国有资产的,或者转让部分国有资产致使国家对该企业不再具有控股地位的，应当报请本级人民政府批准。

第五十四条 国有资产转让应当遵循等价有偿和公开、公平、公正的原则。

除按照国家规定可以直接协议转让的以外，国有资产转让应当在依法设立的产权交易场所公开进行。转让方应当如实披露有关信息，征集受让方；征集产生的受让方为两个以上的，转让应当采用公开竞价的交易方式。

转让上市交易的股份依照《中华人民共和国证券法》的规定进行。

第五十五条 国有资产转让应当以依法评估的、经履行出资人职责的机构认可或者由履行出资人职责的机构报经本级人民政府核准的价格为依据，合理确定最低转让价格。

第五十六条 法律、行政法规或者国务院国有资产监督管理机构规定可以向本企业的董事、监事、高级管理人员或者其近亲属，或者这些人员所有或者实际控制的企业转让的国有资产，在转让时，上述人员或者企业参与受让的，应当与其他受让参与者平等竞买；转让方应当按照国家有关规定，如实披露有关信息；相关的董事、监事和高级管理人员不得参与转让方案的制定和组织实施的各项工作。

第五十七条 国有资产向境外投资者转让的，应当遵守国家有关规定，不得危害国家安全和社会公共利益。

第六章 国有资本经营预算

第五十八条 国家建立健全国有资本经营预算制度，对取得的国有资本收入及其支出实行预算管理。

第五十九条 国家取得的下列国有资本收入，以及下列收入的支出，应当编制国有资本经营预算：

（一）从国家出资企业分得的利润；

(二)国有资产转让收入;

(三)从国家出资企业取得的清算收入;

(四)其他国有资本收入。

第六十条 国有资本经营预算按年度单独编制,纳入本级人民政府预算,报本级人民代表大会批准。

国有资本经营预算支出按照当年预算收入规模安排,不列赤字。

第六十一条 国务院和有关地方人民政府财政部门负责国有资本经营预算草案的编制工作,履行出资人职责的机构向财政部门提出由其履行出资人职责的国有资本经营预算建议草案。

第六十二条 国有资本经营预算管理的具体办法和实施步骤,由国务院规定,报全国人民代表大会常务委员会备案。

第七章 国有资产监督

第六十三条 各级人民代表大会常务委员会通过听取和审议本级人民政府履行出资人职责的情况和国有资产监督管理情况的专项工作报告,组织对本法实施情况的执法检查等,依法行使监督职权。

第六十四条 国务院和地方人民政府应当对其授权履行出资人职责的机构履行职责的情况进行监督。

第六十五条 国务院和地方人民政府审计机关依照《中华人民共和国审计法》的规定,对国有资本经营预算的执行情况和属于审计监督对象的国家出资企业进行审计监督。

第六十六条 国务院和地方人民政府应当依法向社会公布国有资产状况和国有资产监督管理工作情况,接受社会公众的监督。

任何单位和个人有权对造成国有资产损失的行为进行检举和控告。

第六十七条 履行出资人职责的机构根据需要,可以委托会计师事务所对国有独资企业、国有独资公司的年度财务会计报告进行审计，或者通过国有资本控股公司的股东会、股东大会决议，由国有资本控股公司聘请会计师事务所对公司的年度财务会计报告进行审计，维护出资人权益。

第八章　法律责任

第六十八条　履行出资人职责的机构有下列行为之一的，对其直接负责的主管人员和其他直接责任人员依法给予处分：

（一）不按照法定的任职条件，任命或者建议任命国家出资企业管理者的；

（二）侵占、截留、挪用国家出资企业的资金或者应当上缴的国有资本收入的；

（三）违反法定的权限、程序，决定国家出资企业重大事项，造成国有资产损失的；

（四）有其他不依法履行出资人职责的行为，造成国有资产损失的。

第六十九条　履行出资人职责的机构的工作人员玩忽职守、滥用职权、徇私舞弊，尚不构成犯罪的，依法给予处分。

第七十条　履行出资人职责的机构委派的股东代表未按照委派机构的指示履行职责，造成国有资产损失的，依法承担赔偿责任；属于国家工作人员的，并依法给予处分。

第七十一条　国家出资企业的董事、监事、高级管理人员有下列行为之一，造成国有资产损失的，依法承担赔偿责任；属于国家工作人员的，并依法给予处分：

（一）利用职权收受贿赂或者取得其他非法收入和不当利益的；

（二）侵占、挪用企业资产的；

（三）在企业改制、财产转让等过程中，违反法律、行政法规和公平交易规则，将企业财产低价转让、低价折股的；

（四）违反本法规定与本企业进行交易的；

（五）不如实向资产评估机构、会计师事务所提供有关情况和资料，或者与资产评估机构、会计师事务所串通出具虚假资产评估报告、审计报告的；

（六）违反法律、行政法规和企业章程规定的决策程序，决定企业重大事项的；

（七）有其他违反法律、行政法规和企业章程执行职务行为的。

国家出资企业的董事、监事、高级管理人员因前款所列行为取得的收入，依法予以追缴或者归国家出资企业所有。

履行出资人职责的机构任命或者建议任命的董事、监事、高级管理人员有本条第一款所列行为之一，造成国有资产重大损失的，由履行出资人职责的机构依法予以免职或者提出免职建议。

第七十二条 在涉及关联方交易、国有资产转让等交易活动中，当事人恶意串通，损害国有资产权益的，该交易行为无效。

第七十三条 国有独资企业、国有独资公司、国有资本控股公司的董事、监事、高级管理人员违反本法规定，造成国有资产重大损失，被免职的，自免职之日起五年内不得担任国有独资企业、国有独资公司、国有资本控股公司的董事、监事、高级管理人员；造成国有资产特别重大损失，或者因贪污、贿赂、侵占财产、挪用财产或者破坏社会主义市场经济秩序被判处刑罚的，终身不得担任国有独资企业、国有独资公司、国有资本控股公司的董事、监事、高级管理人员。

第七十四条 接受委托对国家出资企业进行资产评估、财务审计的资产评估机构、会计师事务所违反法律、行政法规的规定和执业准则，出具虚假的资产评估报告或者审计报告的，依照有关法律、行政法规的规定追究法律责任。

第七十五条　违反本法规定，构成犯罪的，依法追究刑事责任。

第九章　附　　则

第七十六条　金融企业国有资产的管理与监督，法律、行政法规另有规定的，依照其规定。

第七十七条　本法自 2009 年 5 月 1 日起施行。

中华人民共和国物权法(节录)

(2007年3月16日第十届全国人民
代表大会第五次会议通过 2007年3月16日
中华人民共和国主席令第62号公布
自2007年10月1日起施行)

第五章 国家所有权和集体所有权、私人所有权

第四十五条 法律规定属于国家所有的财产,属于国家所有即全民所有。

国有财产由国务院代表国家行使所有权;法律另有规定的,依照其规定。

第四十六条 矿藏、水流、海域属于国家所有。

第四十七条 城市的土地,属于国家所有。法律规定属于国家所有的农村和城市郊区的土地,属于国家所有。

第四十八条 森林、山岭、草原、荒地、滩涂等自然资源,属于国家所有,但法律规定属于集体所有的除外。

第四十九条 法律规定属于国家所有的野生动植物资源,属于国家所有。

第五十条　无线电频谱资源属于国家所有。

第五十一条　法律规定属于国家所有的文物,属于国家所有。

第五十二条　国防资产属于国家所有。

铁路、公路、电力设施、电信设施和油气管道等基础设施,依照法律规定为国家所有的,属于国家所有。

第五十三条　国家机关对其直接支配的不动产和动产,享有占有、使用以及依照法律和国务院的有关规定处分的权利。

第五十四条　国家举办的事业单位对其直接支配的不动产和动产,享有占有、使用以及依照法律和国务院的有关规定收益、处分的权利。

第五十五条　国家出资的企业,由国务院、地方人民政府依照法律、行政法规规定分别代表国家履行出资人职责,享有出资人权益。

第五十六条　国家所有的财产受法律保护,禁止任何单位和个人侵占、哄抢、私分、截留、破坏。

第五十七条　履行国有财产管理、监督职责的机构及其工作人员,应当依法加强对国有财产的管理、监督,促进国有财产保值增值,防止国有财产损失;滥用职权,玩忽职守,造成国有财产损失的,应当依法承担法律责任。

违反国有财产管理规定,在企业改制、合并分立、关联交易等过程中,低价转让、合谋私分、擅自担保或者以其他方式造成国有财产损失的,应当依法承担法律责任。

第五十八条　集体所有的不动产和动产包括:

(一)法律规定属于集体所有的土地和森林、山岭、草原、荒地、滩涂;

(二)集体所有的建筑物、生产设施、农田水利设施;

(三)集体所有的教育、科学、文化、卫生、体育等设施;

（四）集体所有的其他不动产和动产。

第五十九条 农民集体所有的不动产和动产，属于本集体成员集体所有。

下列事项应当依照法定程序经本集体成员决定：

（一）土地承包方案以及将土地发包给本集体以外的单位或者个人承包；

（二）个别土地承包经营权人之间承包地的调整；

（三）土地补偿费等费用的使用、分配办法；

（四）集体出资的企业的所有权变动等事项；

（五）法律规定的其他事项。

第六十条 对于集体所有的土地和森林、山岭、草原、荒地、滩涂等，依照下列规定行使所有权：

（一）属于村农民集体所有的，由村集体经济组织或者村民委员会代表集体行使所有权；

（二）分别属于村内两个以上农民集体所有的，由村内各该集体经济组织或者村民小组代表集体行使所有权；

（三）属于乡镇农民集体所有的，由乡镇集体经济组织代表集体行使所有权。

第六十一条 城镇集体所有的不动产和动产，依照法律、行政法规的规定由本集体享有占有、使用、收益和处分的权利。

第六十二条 集体经济组织或者村民委员会、村民小组应当依照法律、行政法规以及章程、村规民约向本集体成员公布集体财产的状况。

第六十三条 集体所有的财产受法律保护，禁止任何单位和个人侵占、哄抢、私分、破坏。

集体经济组织、村民委员会或者其负责人作出的决定侵害集体成员合法权益的，受侵害的集体成员可以请求人民法院予以撤销。

第六十四条 私人对其合法的收入、房屋、生活用品、生产工具、原材料等不动产和动产享有所有权。

第六十五条 私人合法的储蓄、投资及其收益受法律保护。

国家依照法律规定保护私人的继承权及其他合法权益。

第六十六条 私人的合法财产受法律保护，禁止任何单位和个人侵占、哄抢、破坏。

第六十七条 国家、集体和私人依法可以出资设立有限责任公司、股份有限公司或者其他企业。国家、集体和私人所有的不动产或者动产，投到企业的，由出资人按照约定或者出资比例享有资产收益、重大决策以及选择经营管理者等权利并履行义务。

第六十八条 企业法人对其不动产和动产依照法律、行政法规以及章程享有占有、使用、收益和处分的权利。

企业法人以外的法人，对其不动产和动产的权利，适用有关法律、行政法规以及章程的规定。

第六十九条 社会团体依法所有的不动产和动产，受法律保护。

中华人民共和国公司法

（1993 年 12 月 29 日第八届全国人民代表大会常务委员会第五次会议通过 1999 年 12 月 25 日第九届全国人民代表大会常务委员会第十三次会议第一次修正　2004 年 8 月 28 日第十届全国人民代表大会常务委员会第十一次会议第二次修正 2005 年 10 月 27 日第十届全国人民代表大会常务委员会第十八次会议修订）

第一章　总　　则

第一条　为了规范公司的组织和行为，保护公司、股东和债权人的合法权益，维护社会经济秩序，促进社会主义市场经济的发展，制定本法。

第二条　本法所称公司是指依照本法在中国境内设立的有限责任公司和股份有限公司。

第三条　公司是企业法人，有独立的法人财产，享有法人财产权。公司以其全部财产对公司的债务承担责任。

有限责任公司的股东以其认缴的出资额为限对公司承担责任；股

份有限公司的股东以其认购的股份为限对公司承担责任。

第四条　公司股东依法享有资产收益、参与重大决策和选择管理者等权利。

第五条　公司从事经营活动，必须遵守法律、行政法规，遵守社会公德、商业道德，诚实守信，接受政府和社会公众的监督，承担社会责任。

公司的合法权益受法律保护，不受侵犯。

第六条　设立公司，应当依法向公司登记机关申请设立登记。符合本法规定的设立条件的，由公司登记机关分别登记为有限责任公司或者股份有限公司；不符合本法规定的设立条件的，不得登记为有限责任公司或者股份有限公司。

法律、行政法规规定设立公司必须报经批准的，应当在公司登记前依法办理批准手续。

公众可以向公司登记机关申请查询公司登记事项，公司登记机关应当提供查询服务。

第七条　依法设立的公司，由公司登记机关发给公司营业执照。公司营业执照签发日期为公司成立日期。

公司营业执照应当载明公司的名称、住所、注册资本、实收资本、经营范围、法定代表人姓名等事项。

公司营业执照记载的事项发生变更的，公司应当依法办理变更登记，由公司登记机关换发营业执照。

第八条　依照本法设立的有限责任公司，必须在公司名称中标明有限责任公司或者有限公司字样。

依照本法设立的股份有限公司，必须在公司名称中标明股份有限公司或者股份公司字样。

第九条　有限责任公司变更为股份有限公司，应当符合本法规定的股份有限公司的条件。股份有限公司变更为有限责任公司，应当符合本法规定的有限责任公司的条件。

有限责任公司变更为股份有限公司的，或者股份有限公司变更为有限责任公司的，公司变更前的债权、债务由变更后的公司承继。

第十条 公司以其主要办事机构所在地为住所。

第十一条 设立公司必须依法制定公司章程。公司章程对公司、股东、董事、监事、高级管理人员具有约束力。

第十二条 公司的经营范围由公司章程规定，并依法登记。公司可以修改公司章程，改变经营范围，但是应当办理变更登记。

公司的经营范围中属于法律、行政法规规定须经批准的项目，应当依法经过批准。

第十三条 公司法定代表人依照公司章程的规定，由董事长、执行董事或者经理担任，并依法登记。公司法定代表人变更，应当办理变更登记。

第十四条 公司可以设立分公司。设立分公司，应当向公司登记机关申请登记，领取营业执照。分公司不具有法人资格，其民事责任由公司承担。

公司可以设立子公司，子公司具有法人资格，依法独立承担民事责任。

第十五条 公司可以向其他企业投资；但是，除法律另有规定外，不得成为对所投资企业的债务承担连带责任的出资人。

第十六条 公司向其他企业投资或者为他人提供担保，依照公司章程的规定，由董事会或者股东会、股东大会决议；公司章程对投资或者担保的总额及单项投资或者担保的数额有限额规定的，不得超过规定的限额。

公司为公司股东或者实际控制人提供担保的，必须经股东会或者股东大会决议。

前款规定的股东或者受前款规定的实际控制人支配的股东,不得参加前款规定事项的表决。该项表决由出席会议的其他股东所持表决权的过半数通过。

第十七条 公司必须保护职工的合法权益,依法与职工签订劳动合同,参加社会保险,加强劳动保护,实现安全生产。

公司应当采用多种形式,加强公司职工的职业教育和岗位培训,提高职工素质。

第十八条 公司职工依照《中华人民共和国工会法》组织工会,开展工会活动,维护职工合法权益。公司应当为本公司工会提供必要的活动条件。公司工会代表职工就职工的劳动报酬、工作时间、福利、保险和劳动安全卫生等事项依法与公司签订集体合同。

公司依照宪法和有关法律的规定,通过职工代表大会或者其他形式,实行民主管理。

公司研究决定改制以及经营方面的重大问题、制定重要的规章制度时,应当听取公司工会的意见,并通过职工代表大会或者其他形式听取职工的意见和建议。

第十九条 在公司中,根据中国共产党章程的规定,设立中国共产党的组织,开展党的活动。公司应当为党组织的活动提供必要条件。

第二十条 公司股东应当遵守法律、行政法规和公司章程,依法行使股东权利,不得滥用股东权利损害公司或者其他股东的利益;不得滥用公司法人独立地位和股东有限责任损害公司债权人的利益。

公司股东滥用股东权利给公司或者其他股东造成损失的,应当依法承担赔偿责任。

公司股东滥用公司法人独立地位和股东有限责任,逃避债务,严重损害公司债权人利益的,应当对公司债务承担连带责任。

第二十一条 公司的控股股东、实际控制人、董事、监事、高级管理人员不得利用其关联关系损害公司利益。

违反前款规定,给公司造成损失的,应当承担赔偿责任。

第二十二条 公司股东会或者股东大会、董事会的决议内容违反法律、行政法规的无效。

股东会或者股东大会、董事会的会议召集程序、表决方式违反法律、行政法规或者公司章程,或者决议内容违反公司章程的,股东可以自决议作出之日起六十日内,请求人民法院撤销。

股东依照前款规定提起诉讼的,人民法院可以应公司的请求,要求股东提供相应担保。

公司根据股东会或者股东大会、董事会决议已办理变更登记的,人民法院宣告该决议无效或者撤销该决议后,公司应当向公司登记机关申请撤销变更登记。

第二章 有限责任公司的设立和组织机构

第一节 设 立

第二十三条 设立有限责任公司,应当具备下列条件:

(一)股东符合法定人数;

(二)股东出资达到法定资本最低限额;

(三)股东共同制定公司章程;

(四)有公司名称,建立符合有限责任公司要求的组织机构;

(五)有公司住所。

第二十四条 有限责任公司由五十个以下股东出资设立。

第二十五条 有限责任公司章程应当载明下列事项:

(一)公司名称和住所;

(二)公司经营范围;

(三)公司注册资本;

(四)股东的姓名或者名称;

(五)股东的出资方式、出资额和出资时间;

(六)公司的机构及其产生办法、职权、议事规则;

(七)公司法定代表人;

(八)股东会会议认为需要规定的其他事项。

股东应当在公司章程上签名、盖章。

第二十六条 有限责任公司的注册资本为在公司登记机关登记的全体股东认缴的出资额。公司全体股东的首次出资额不得低于注册资本的百分之二十,也不得低于法定的注册资本最低限额,其余部分由股东自公司成立之日起两年内缴足;其中,投资公司可以在五年内缴足。

有限责任公司注册资本的最低限额为人民币三万元。法律、行政法规对有限责任公司注册资本的最低限额有较高规定的,从其规定。

第二十七条 股东可以用货币出资,也可以用实物、知识产权、土地使用权等可以用货币估价并可以依法转让的非货币财产作价出资;但是,法律、行政法规规定不得作为出资的财产除外。

对作为出资的非货币财产应当评估作价,核实财产,不得高估或者低估作价。法律、行政法规对评估作价有规定的,从其规定。

全体股东的货币出资金额不得低于有限责任公司注册资本的百分之三十。

第二十八条 股东应当按期足额缴纳公司章程中规定的各自所认缴的出资额。股东以货币出资的,应当将货币出资足额存入有限责任公司在银行开设的账户;以非货币财产出资的,应当依法办理其财产权的转移手续。

股东不按照前款规定缴纳出资的,除应当向公司足额缴纳外,还应当向已按期足额缴纳出资的股东承担违约责任。

第二十九条 股东缴纳出资后，必须经依法设立的验资机构验资并出具证明。

第三十条 股东的首次出资经依法设立的验资机构验资后，由全体股东指定的代表或者共同委托的代理人向公司登记机关报送公司登记申请书、公司章程、验资证明等文件，申请设立登记。

第三十一条 有限责任公司成立后，发现作为设立公司出资的非货币财产的实际价额显著低于公司章程所定价额的，应当由交付该出资的股东补足其差额；公司设立时的其他股东承担连带责任。

第三十二条 有限责任公司成立后，应当向股东签发出资证明书。

出资证明书应当载明下列事项：

（一）公司名称；

（二）公司成立日期；

（三）公司注册资本；

（四）股东的姓名或者名称、缴纳的出资额和出资日期；

（五）出资证明书的编号和核发日期。

出资证明书由公司盖章。

第三十三条 有限责任公司应当置备股东名册，记载下列事项：

（一）股东的姓名或者名称及住所；

（二）股东的出资额；

（三）出资证明书编号。

记载于股东名册的股东，可以依股东名册主张行使股东权利。

公司应当将股东的姓名或者名称及其出资额向公司登记机关登记；登记事项发生变更的，应当办理变更登记。未经登记或者变更登记的，不得对抗第三人。

第三十四条 股东有权查阅、复制公司章程、股东会会议记录、董事会会议决议、监事会会议决议和财务会计报告。

股东可以要求查阅公司会计账簿。股东要求查阅公司会计账簿的，应当向公司提出书面请求，说明目的。公司有合理根据认为股东查阅会计账簿有不正当目的，可能损害公司合法利益的，可以拒绝提供查阅，并应当自股东提出书面请求之日起十五日内书面答复股东并说明理由。公司拒绝提供查阅的，股东可以请求人民法院要求公司提供查阅。

第三十五条 股东按照实缴的出资比例分取红利；公司新增资本时，股东有权优先按照实缴的出资比例认缴出资。但是，全体股东约定不按照出资比例分取红利或者不按照出资比例优先认缴出资的除外。

第三十六条 公司成立后，股东不得抽逃出资。

第二节 组织机构

第三十七条 有限责任公司股东会由全体股东组成。股东会是公司的权力机构，依照本法行使职权。

第三十八条 股东会行使下列职权：

（一）决定公司的经营方针和投资计划；

（二）选举和更换非由职工代表担任的董事、监事，决定有关董事、监事的报酬事项；

（三）审议批准董事会的报告；

（四）审议批准监事会或者监事的报告；

（五）审议批准公司的年度财务预算方案、决算方案；

（六）审议批准公司的利润分配方案和弥补亏损方案；

（七）对公司增加或者减少注册资本作出决议；

（八）对发行公司债券作出决议；

（九）对公司合并、分立、解散、清算或者变更公司形式作出决议；

（十）修改公司章程；

（十一）公司章程规定的其他职权。

对前款所列事项股东以书面形式一致表示同意的，可以不召开股东会会议，直接作出决定，并由全体股东在决定文件上签名、盖章。

第三十九条 首次股东会会议由出资最多的股东召集和主持，依照本法规定行使职权。

第四十条 股东会会议分为定期会议和临时会议。

定期会议应当依照公司章程的规定按时召开。代表十分之一以上表决权的股东，三分之一以上的董事，监事会或者不设监事会的公司的监事提议召开临时会议的，应当召开临时会议。

第四十一条 有限责任公司设立董事会的，股东会会议由董事会召集，董事长主持；董事长不能履行职务或者不履行职务的，由副董事长主持；副董事长不能履行职务或者不履行职务的，由半数以上董事共同推举一名董事主持。

有限责任公司不设董事会的，股东会会议由执行董事召集和主持。

董事会或者执行董事不能履行或者不履行召集股东会会议职责的，由监事会或者不设监事会的公司的监事召集和主持；监事会或者监事不召集和主持的，代表十分之一以上表决权的股东可以自行召集和主持。

第四十二条 召开股东会会议，应当于会议召开十五日前通知全体股东；但是，公司章程另有规定或者全体股东另有约定的除外。

股东会应当对所议事项的决定作成会议记录，出席会议的股东应当在会议记录上签名。

第四十三条 股东会会议由股东按照出资比例行使表决权；但是，公司章程另有规定的除外。

第四十四条 股东会的议事方式和表决程序，除本法有规定的外，由公司章程规定。

股东会会议作出修改公司章程、增加或者减少注册资本的决议，以及公司合并、分立、解散或者变更公司形式的决议，必须经代表三分之二以上表决权的股东通过。

第四十五条 有限责任公司设董事会，其成员为三人至十三人；但是，本法第五十一条另有规定的除外。

两个以上的国有企业或者两个以上的其他国有投资主体投资设立的有限责任公司，其董事会成员中应当有公司职工代表；其他有限责任公司董事会成员中可以有公司职工代表。董事会中的职工代表由公司职工通过职工代表大会、职工大会或者其他形式民主选举产生。

董事会设董事长一人，可以设副董事长。董事长、副董事长的产生办法由公司章程规定。

第四十六条 董事任期由公司章程规定，但每届任期不得超过三年。董事任期届满，连选可以连任。

董事任期届满未及时改选，或者董事在任期内辞职导致董事会成员低于法定人数的，在改选出的董事就任前，原董事仍应当依照法律、行政法规和公司章程的规定，履行董事职务。

第四十七条 董事会对股东会负责，行使下列职权：

（一）召集股东会会议，并向股东会报告工作；

（二）执行股东会的决议；

（三）决定公司的经营计划和投资方案；

（四）制订公司的年度财务预算方案、决算方案；

（五）制订公司的利润分配方案和弥补亏损方案；

（六）制订公司增加或者减少注册资本以及发行公司债券的方案；

（七）制订公司合并、分立、解散或者变更公司形式的方案；

（八）决定公司内部管理机构的设置；

（九）决定聘任或者解聘公司经理及其报酬事项，并根据经理的提名决定聘任或者解聘公司副经理、财务负责人及其报酬事项；

（十）制定公司的基本管理制度；

（十一）公司章程规定的其他职权。

第四十八条 董事会会议由董事长召集和主持；董事长不能履行职务或者不履行职务的，由副董事长召集和主持；副董事长不能履行职务或者不履行职务的，由半数以上董事共同推举一名董事召集和主持。

第四十九条 董事会的议事方式和表决程序，除本法有规定的外，由公司章程规定。

董事会应当对所议事项的决定作成会议记录，出席会议的董事应当在会议记录上签名。

董事会决议的表决，实行一人一票。

第五十条 有限责任公司可以设经理，由董事会决定聘任或者解聘。经理对董事会负责，行使下列职权：

（一）主持公司的生产经营管理工作，组织实施董事会决议；

（二）组织实施公司年度经营计划和投资方案；

（三）拟订公司内部管理机构设置方案；

（四）拟订公司的基本管理制度；

（五）制定公司的具体规章；

（六）提请聘任或者解聘公司副经理、财务负责人；

（七）决定聘任或者解聘除应由董事会决定聘任或者解聘以外的负责管理人员；

（八）董事会授予的其他职权。

公司章程对经理职权另有规定的，从其规定。

经理列席董事会会议。

第五十一条 股东人数较少或者规模较小的有限责任公司，可以设一名执行董事，不设董事会。执行董事可以兼任公司经理。

执行董事的职权由公司章程规定。

第五十二条　有限责任公司设监事会，其成员不得少于三人。股东人数较少或者规模较小的有限责任公司，可以设一至二名监事，不设监事会。

监事会应当包括股东代表和适当比例的公司职工代表，其中职工代表的比例不得低于三分之一，具体比例由公司章程规定。监事会中的职工代表由公司职工通过职工代表大会、职工大会或者其他形式民主选举产生。

监事会设主席一人，由全体监事过半数选举产生。监事会主席召集和主持监事会会议；监事会主席不能履行职务或者不履行职务的，由半数以上监事共同推举一名监事召集和主持监事会会议。

董事、高级管理人员不得兼任监事。

第五十三条　监事的任期每届为三年。监事任期届满，连选可以连任。

监事任期届满未及时改选，或者监事在任期内辞职导致监事会成员低于法定人数的，在改选出的监事就任前，原监事仍应当依照法律、行政法规和公司章程的规定，履行监事职务。

第五十四条　监事会、不设监事会的公司的监事行使下列职权：

（一）检查公司财务；

（二）对董事、高级管理人员执行公司职务的行为进行监督，对违反法律、行政法规、公司章程或者股东会决议的董事、高级管理人员提出罢免的建议；

（三）当董事、高级管理人员的行为损害公司的利益时，要求董事、高级管理人员予以纠正；

（四）提议召开临时股东会会议，在董事会不履行本法规定的召集和主持股东会会议职责时召集和主持股东会会议；

（五）向股东会会议提出提案；

（六）依照本法第一百五十二条的规定，对董事、高级管理人员提起诉讼；

（七）公司章程规定的其他职权。

第五十五条 监事可以列席董事会会议，并对董事会决议事项提出质询或者建议。

监事会、不设监事会的公司的监事发现公司经营情况异常，可以进行调查；必要时，可以聘请会计师事务所等协助其工作，费用由公司承担。

第五十六条 监事会每年度至少召开一次会议，监事可以提议召开临时监事会会议。

监事会的议事方式和表决程序，除本法有规定的外，由公司章程规定。

监事会决议应当经半数以上监事通过。

监事会应当对所议事项的决定作成会议记录，出席会议的监事应当在会议记录上签名。

第五十七条 监事会、不设监事会的公司的监事行使职权所必需的费用，由公司承担。

第三节 一人有限责任公司的特别规定

第五十八条 一人有限责任公司的设立和组织机构，适用本节规定；本节没有规定的，适用本章第一节、第二节的规定。

本法所称一人有限责任公司，是指只有一个自然人股东或者一个法人股东的有限责任公司。

第五十九条 一人有限责任公司的注册资本最低限额为人民币十

万元。股东应当一次足额缴纳公司章程规定的出资额。

一个自然人只能投资设立一个一人有限责任公司。该一人有限责任公司不能投资设立新的一人有限责任公司。

第六十条　一人有限责任公司应当在公司登记中注明自然人独资或者法人独资,并在公司营业执照中载明。

第六十一条　一人有限责任公司章程由股东制定。

第六十二条　一人有限责任公司不设股东会。股东作出本法第三十八条第一款所列决定时,应当采用书面形式,并由股东签名后置备于公司。

第六十三条　一人有限责任公司应当在每一会计年度终了时编制财务会计报告,并经会计师事务所审计。

第六十四条　一人有限责任公司的股东不能证明公司财产独立于股东自己的财产的,应当对公司债务承担连带责任。

第四节　国有独资公司的特别规定

第六十五条　国有独资公司的设立和组织机构,适用本节规定;本节没有规定的,适用本章第一节、第二节的规定。

本法所称国有独资公司,是指国家单独出资、由国务院或者地方人民政府授权本级人民政府国有资产监督管理机构履行出资人职责的有限责任公司。

第六十六条　国有独资公司章程由国有资产监督管理机构制定,或者由董事会制订报国有资产监督管理机构批准。

第六十七条　国有独资公司不设股东会,由国有资产监督管理机构行使股东会职权。国有资产监督管理机构可以授权公司董事会行使股东会的部分职权,决定公司的重大事项,但公司的合并、分立、解散、增加或者减少注册资本和发行公司债券,必须由国有资产监督管理机构决定；其中，重要的国有独资公司合并、分立、解散、申请破产的，应当由国有资产监督管理机构审核后，报本级人民政府批准。

前款所称重要的国有独资公司，按照国务院的规定确定。

第六十八条 国有独资公司设董事会，依照本法第四十七条、第六十七条的规定行使职权。董事每届任期不得超过三年。董事会成员中应当有公司职工代表。

董事会成员由国有资产监督管理机构委派；但是，董事会成员中的职工代表由公司职工代表大会选举产生。

董事会设董事长一人，可以设副董事长。董事长、副董事长由国有资产监督管理机构从董事会成员中指定。

第六十九条 国有独资公司设经理，由董事会聘任或者解聘。经理依照本法第五十条规定行使职权。

经国有资产监督管理机构同意，董事会成员可以兼任经理。

第七十条 国有独资公司的董事长、副董事长、董事、高级管理人员，未经国有资产监督管理机构同意，不得在其他有限责任公司、股份有限公司或者其他经济组织兼职。

第七十一条 国有独资公司监事会成员不得少于五人，其中职工代表的比例不得低于三分之一，具体比例由公司章程规定。

监事会成员由国有资产监督管理机构委派；但是，监事会成员中的职工代表由公司职工代表大会选举产生。监事会主席由国有资产监督管理机构从监事会成员中指定。

监事会行使本法第五十四条第（一）项至第（三）项规定的职权和国务院规定的其他职权。

第三章 有限责任公司的股权转让

第七十二条 有限责任公司的股东之间可以相互转让其全部或者

部分股权。

股东向股东以外的人转让股权，应当经其他股东过半数同意。股东应就其股权转让事项书面通知其他股东征求同意，其他股东自接到书面通知之日起满三十日未答复的，视为同意转让。其他股东半数以上不同意转让的，不同意的股东应当购买该转让的股权；不购买的，视为同意转让。

经股东同意转让的股权，在同等条件下，其他股东有优先购买权。两个以上股东主张行使优先购买权的，协商确定各自的购买比例；协商不成的，按照转让时各自的出资比例行使优先购买权。

公司章程对股权转让另有规定的，从其规定。

第七十三条　人民法院依照法律规定的强制执行程序转让股东的股权时，应当通知公司及全体股东，其他股东在同等条件下有优先购买权。其他股东自人民法院通知之日起满二十日不行使优先购买权的，视为放弃优先购买权。

第七十四条　依照本法第七十二条、第七十三条转让股权后，公司应当注销原股东的出资证明书，向新股东签发出资证明书，并相应修改公司章程和股东名册中有关股东及其出资额的记载。对公司章程的该项修改不需再由股东会表决。

第七十五条　有下列情形之一的，对股东会该项决议投反对票的股东可以请求公司按照合理的价格收购其股权：

（一）公司连续五年不向股东分配利润，而公司该五年连续盈利，并且符合本法规定的分配利润条件的；

（二）公司合并、分立、转让主要财产的；

（三）公司章程规定的营业期限届满或者章程规定的其他解散事由出现，股东会会议通过决议修改章程使公司存续的。

自股东会会议决议通过之日起六十日内，股东与公司不能达成股权收购协议的，股东可以自股东会会议决议通过之日起九十日内向人民法院提起诉讼。

第七十六条 自然人股东死亡后，其合法继承人可以继承股东资格；但是，公司章程另有规定的除外。

第四章 股份有限公司的设立和组织机构

第一节 设 立

第七十七条 设立股份有限公司，应当具备下列条件：

（一）发起人符合法定人数；

（二）发起人认购和募集的股本达到法定资本最低限额；

（三）股份发行、筹办事项符合法律规定；

（四）发起人制订公司章程，采用募集方式设立的经创立大会通过；

（五）有公司名称，建立符合股份有限公司要求的组织机构；

（六）有公司住所。

第七十八条 股份有限公司的设立，可以采取发起设立或者募集设立的方式。

发起设立，是指由发起人认购公司应发行的全部股份而设立公司。

募集设立，是指由发起人认购公司应发行股份的一部分，其余股份向社会公开募集或者向特定对象募集而设立公司。

第七十九条 设立股份有限公司，应当有二人以上二百人以下为发起人，其中须有半数以上的发起人在中国境内有住所。

第八十条 股份有限公司发起人承担公司筹办事务。

发起人应当签订发起人协议，明确各自在公司设立过程中的权利和义务。

第八十一条 股份有限公司采取发起设立方式设立的，注册资本为在公司登记机关登记的全体发起人认购的股本总额。公司全体发起人的首次出资额不得低于注册资本的百分之二十，其余部分由发起人自公司成立之日起两年内缴足；其中，投资公司可以在五年内缴足。在缴足前，不得向他人募集股份。

股份有限公司采取募集方式设立的，注册资本为在公司登记机关登记的实收股本总额。

股份有限公司注册资本的最低限额为人民币五百万元。法律、行政法规对股份有限公司注册资本的最低限额有较高规定的，从其规定。

第八十二条 股份有限公司章程应当载明下列事项：

（一）公司名称和住所；

（二）公司经营范围；

（三）公司设立方式；

（四）公司股份总数、每股金额和注册资本；

（五）发起人的姓名或者名称、认购的股份数、出资方式和出资时间；

（六）董事会的组成、职权和议事规则；

（七）公司法定代表人；

（八）监事会的组成、职权和议事规则；

（九）公司利润分配办法；

（十）公司的解散事由与清算办法；

（十一）公司的通知和公告办法；

（十二）股东大会会议认为需要规定的其他事项。

第八十三条 发起人的出资方式，适用本法第二十七条的规定。

第八十四条 以发起设立方式设立股份有限公司的，发起人应当书面认足公司章程规定其认购的股份；一次缴纳的，应即缴纳全部出资;分期缴纳的,应即缴纳首期出资。以非货币财产出资的,应当依法办理其财产权的转移手续。

发起人不依照前款规定缴纳出资的,应当按照发起人协议承担违约责任。

发起人首次缴纳出资后,应当选举董事会和监事会,由董事会向公司登记机关报送公司章程、由依法设立的验资机构出具的验资证明以及法律、行政法规规定的其他文件,申请设立登记。

第八十五条　以募集设立方式设立股份有限公司的,发起人认购的股份不得少于公司股份总数的百分之三十五;但是,法律、行政法规另有规定的,从其规定。

第八十六条　发起人向社会公开募集股份,必须公告招股说明书,并制作认股书。认股书应当载明本法第八十七条所列事项,由认股人填写认购股数、金额、住所,并签名、盖章。认股人按照所认购股数缴纳股款。

第八十七条　招股说明书应当附有发起人制订的公司章程,并载明下列事项:

(一)发起人认购的股份数;

(二)每股的票面金额和发行价格;

(三)无记名股票的发行总数;

(四)募集资金的用途;

(五)认股人的权利、义务;

(六)本次募股的起止期限及逾期未募足时认股人可以撤回所认股份的说明。

第八十八条　发起人向社会公开募集股份,应当由依法设立的证券公司承销,签订承销协议。

第八十九条　发起人向社会公开募集股份,应当同银行签订代收股款协议。

代收股款的银行应当按照协议代收和保存股款，向缴纳股款的认股人出具收款单据，并负有向有关部门出具收款证明的义务。

第九十条 发行股份的股款缴足后，必须经依法设立的验资机构验资并出具证明。发起人应当自股款缴足之日起三十日内主持召开公司创立大会。创立大会由发起人、认股人组成。

发行的股份超过招股说明书规定的截止期限尚未募足的，或者发行股份的股款缴足后，发起人在三十日内未召开创立大会的，认股人可以按照所缴股款并加算银行同期存款利息，要求发起人返还。

第九十一条 发起人应当在创立大会召开十五日前将会议日期通知各认股人或者予以公告。创立大会应有代表股份总数过半数的发起人、认股人出席，方可举行。

创立大会行使下列职权：

（一）审议发起人关于公司筹办情况的报告；

（二）通过公司章程；

（三）选举董事会成员；

（四）选举监事会成员；

（五）对公司的设立费用进行审核；

（六）对发起人用于抵作股款的财产的作价进行审核；

（七）发生不可抗力或者经营条件发生重大变化直接影响公司设立的，可以作出不设立公司的决议。

创立大会对前款所列事项作出决议，必须经出席会议的认股人所持表决权过半数通过。

第九十二条 发起人、认股人缴纳股款或者交付抵作股款的出资后，除未按期募足股份、发起人未按期召开创立大会或者创立大会决议不设立公司的情形外，不得抽回其股本。

第九十三条 董事会应于创立大会结束后三十日内,向公司登记机关报送下列文件,申请设立登记:

(一)公司登记申请书;

(二)创立大会的会议记录;

(三)公司章程;

(四)验资证明;

(五)法定代表人、董事、监事的任职文件及其身份证明;

(六)发起人的法人资格证明或者自然人身份证明;

(七)公司住所证明。

以募集方式设立股份有限公司公开发行股票的,还应当向公司登记机关报送国务院证券监督管理机构的核准文件。

第九十四条 股份有限公司成立后,发起人未按照公司章程的规定缴足出资的,应当补缴;其他发起人承担连带责任。

股份有限公司成立后,发现作为设立公司出资的非货币财产的实际价额显著低于公司章程所定价额的,应当由交付该出资的发起人补足其差额;其他发起人承担连带责任。

第九十五条 股份有限公司的发起人应当承担下列责任:

(一)公司不能成立时,对设立行为所产生的债务和费用负连带责任;

(二)公司不能成立时,对认股人已缴纳的股款,负返还股款并加算银行同期存款利息的连带责任;

(三)在公司设立过程中,由于发起人的过失致使公司利益受到损害的,应当对公司承担赔偿责任。

第九十六条 有限责任公司变更为股份有限公司时,折合的实收股本总额不得高于公司净资产额。有限责任公司变更为股份有限公司,为增加资本公开发行股份时,应当依法办理。

第九十七条 股份有限公司应当将公司章程、股东名册、公司债券存根、股东大会会议记录、董事会会议记录、监事会会议记录、财务会计报告置备于本公司。

第九十八条 股东有权查阅公司章程、股东名册、公司债券存根、股东大会会议记录、董事会会议决议、监事会会议决议、财务会计报告，对公司的经营提出建议或者质询。

第二节　股 东 大 会

第九十九条 股份有限公司股东大会由全体股东组成。股东大会是公司的权力机构，依照本法行使职权。

第一百条 本法第三十八条第一款关于有限责任公司股东会职权的规定，适用于股份有限公司股东大会。

第一百零一条 股东大会应当每年召开一次年会。有下列情形之一的，应当在两个月内召开临时股东大会：

（一）董事人数不足本法规定人数或者公司章程所定人数的三分之二时；

（二）公司未弥补的亏损达实收股本总额三分之一时；

（三）单独或者合计持有公司百分之十以上股份的股东请求时；

（四）董事会认为必要时；

（五）监事会提议召开时；

（六）公司章程规定的其他情形。

第一百零二条 股东大会会议由董事会召集，董事长主持；董事长不能履行职务或者不履行职务的，由副董事长主持；副董事长不能履行职务或者不履行职务的，由半数以上董事共同推举一名董事主持。

董事会不能履行或者不履行召集股东大会会议职责的，监事会应当及时召集和主持；监事会不召集和主持的，连续九十日以上单独或者合计持有公司百分之十以上股份的股东可以自行召集和主持。

第一百零三条 召开股东大会会议，应当将会议召开的时间、地点和审议的事项于会议召开二十日前通知各股东；临时股东大会应当于会议召开十五日前通知各股东；发行无记名股票的，应当于会议召开三十日前公告会议召开的时间、地点和审议事项。

单独或者合计持有公司百分之三以上股份的股东，可以在股东大会召开十日前提出临时提案并书面提交董事会；董事会应当在收到提案后二日内通知其他股东，并将该临时提案提交股东大会审议。临时提案的内容应当属于股东大会职权范围，并有明确议题和具体决议事项。

股东大会不得对前两款通知中未列明的事项作出决议。

无记名股票持有人出席股东大会会议的，应当于会议召开五日前至股东大会闭会时将股票交存于公司。

第一百零四条 股东出席股东大会会议，所持每一股份有一表决权。但是，公司持有的本公司股份没有表决权。

股东大会作出决议，必须经出席会议的股东所持表决权过半数通过。但是，股东大会作出修改公司章程、增加或者减少注册资本的决议，以及公司合并、分立、解散或者变更公司形式的决议，必须经出席会议的股东所持表决权的三分之二以上通过。

第一百零五条 本法和公司章程规定公司转让、受让重大资产或者对外提供担保等事项必须经股东大会作出决议的，董事会应当及时召集股东大会会议，由股东大会就上述事项进行表决。

第一百零六条 股东大会选举董事、监事，可以依照公司章程的规定或者股东大会的决议，实行累积投票制。

本法所称累积投票制，是指股东大会选举董事或者监事时，每一股份拥有与应选董事或者监事人数相同的表决权，股东拥有的表决权可以集中使用。

第一百零七条 股东可以委托代理人出席股东大会会议，代理人应当向公司提交股东授权委托书，并在授权范围内行使表决权。

第一百零八条 股东大会应当对所议事项的决定作成会议记录，主持人、出席会议的董事应当在会议记录上签名。会议记录应当与出席股东的签名册及代理出席的委托书一并保存。

第三节 董事会、经理

第一百零九条 股份有限公司设董事会，其成员为五人至十九人。

董事会成员中可以有公司职工代表。董事会中的职工代表由公司职工通过职工代表大会、职工大会或者其他形式民主选举产生。

本法第四十六条关于有限责任公司董事任期的规定，适用于股份有限公司董事。

本法第四十七条关于有限责任公司董事会职权的规定，适用于股份有限公司董事会。

第一百一十条 董事会设董事长一人，可以设副董事长。董事长和副董事长由董事会以全体董事的过半数选举产生。

董事长召集和主持董事会会议，检查董事会决议的实施情况。副董事长协助董事长工作，董事长不能履行职务或者不履行职务的，由副董事长履行职务；副董事长不能履行职务或者不履行职务的，由半数以上董事共同推举一名董事履行职务。

第一百一十一条 董事会每年度至少召开两次会议，每次会议应当于会议召开十日前通知全体董事和监事。

代表十分之一以上表决权的股东、三分之一以上董事或者监事会，可以提议召开董事会临时会议。董事长应当自接到提议后十日内，召集和主持董事会会议。

董事会召开临时会议,可以另定召集董事会的通知方式和通知时限。

第一百一十二条 董事会会议应有过半数的董事出席方可举行。董事会作出决议,必须经全体董事的过半数通过。

董事会决议的表决,实行一人一票。

第一百一十三条 董事会会议,应由董事本人出席;董事因故不能出席,可以书面委托其他董事代为出席,委托书中应载明授权范围。

董事会应当对会议所议事项的决定作成会议记录,出席会议的董事应当在会议记录上签名。

董事应当对董事会的决议承担责任。董事会的决议违反法律、行政法规或者公司章程、股东大会决议,致使公司遭受严重损失的,参与决议的董事对公司负赔偿责任。但经证明在表决时曾表明异议并记载于会议记录的,该董事可以免除责任。

第一百一十四条 股份有限公司设经理,由董事会决定聘任或者解聘。

本法第五十条关于有限责任公司经理职权的规定,适用于股份有限公司经理。

第一百一十五条 公司董事会可以决定由董事会成员兼任经理。

第一百一十六条 公司不得直接或者通过子公司向董事、监事、高级管理人员提供借款。

第一百一十七条 公司应当定期向股东披露董事、监事、高级管理人员从公司获得报酬的情况。

第四节 监 事 会

第一百一十八条 股份有限公司设监事会,其成员不得少于三人。

监事会应当包括股东代表和适当比例的公司职工代表,其中职工代表的比例不得低于三分之一,具体比例由公司章程规定。监事会中的职工代表由公司职工通过职工代表大会、职工大会或者其他形式民主选举产生。

监事会设主席一人,可以设副主席。监事会主席和副主席由全体监事过半数选举产生。监事会主席召集和主持监事会会议;监事会主席不能履行职务或者不履行职务的,由监事会副主席召集和主持监事会会议;监事会副主席不能履行职务或者不履行职务的,由半数以上监事共同推举一名监事召集和主持监事会会议。

董事、高级管理人员不得兼任监事。

本法第五十三条关于有限责任公司监事任期的规定,适用于股份有限公司监事。

第一百一十九条　本法第五十四条、第五十五条关于有限责任公司监事会职权的规定,适用于股份有限公司监事会。

监事会行使职权所必需的费用,由公司承担。

第一百二十条　监事会每六个月至少召开一次会议。监事可以提议召开临时监事会会议。

监事会的议事方式和表决程序,除本法有规定的外,由公司章程规定。

监事会决议应当经半数以上监事通过。

监事会应当对所议事项的决定作成会议记录,出席会议的监事应当在会议记录上签名。

第五节　上市公司组织机构的特别规定

第一百二十一条　本法所称上市公司,是指其股票在证券交易所上市交易的股份有限公司。

第一百二十二条　上市公司在一年内购买、出售重大资产或者担保金额超过公司资产总额百分之三十的，应当由股东大会作出决议，并经出席会议的股东所持表决权的三分之二以上通过。

第一百二十三条 上市公司设独立董事，具体办法由国务院规定。

第一百二十四条 上市公司设董事会秘书，负责公司股东大会和董事会会议的筹备、文件保管以及公司股东资料的管理，办理信息披露事务等事宜。

第一百二十五条 上市公司董事与董事会会议决议事项所涉及的企业有关联关系的，不得对该项决议行使表决权，也不得代理其他董事行使表决权。该董事会会议由过半数的无关联关系董事出席即可举行，董事会会议所作决议须经无关联关系董事过半数通过。出席董事会的无关联关系董事人数不足三人的，应将该事项提交上市公司股东大会审议。

第五章 股份有限公司的股份发行和转让

第一节 股份发行

第一百二十六条 股份有限公司的资本划分为股份，每一股的金额相等。

公司的股份采取股票的形式。股票是公司签发的证明股东所持股份的凭证。

第一百二十七条 股份的发行，实行公平、公正的原则，同种类的每一股份应当具有同等权利。

同次发行的同种类股票，每股的发行条件和价格应当相同；任何单位或者个人所认购的股份，每股应当支付相同价额。

第一百二十八条 股票发行价格可以按票面金额，也可以超过票面金额，但不得低于票面金额。

第一百二十九条　股票采用纸面形式或者国务院证券监督管理机构规定的其他形式。

股票应当载明下列主要事项：

（一）公司名称；

（二）公司成立日期；

（三）股票种类、票面金额及代表的股份数；

（四）股票的编号。

股票由法定代表人签名，公司盖章。

发起人的股票，应当标明发起人股票字样。

第一百三十条　公司发行的股票，可以为记名股票，也可以为无记名股票。

公司向发起人、法人发行的股票，应当为记名股票，并应当记载该发起人、法人的名称或者姓名，不得另立户名或者以代表人姓名记名。

第一百三十一条　公司发行记名股票的，应当置备股东名册，记载下列事项：

（一）股东的姓名或者名称及住所；

（二）各股东所持股份数；

（三）各股东所持股票的编号；

（四）各股东取得股份的日期。

发行无记名股票的，公司应当记载其股票数量、编号及发行日期。

第一百三十二条　国务院可以对公司发行本法规定以外的其他种类的股份，另行作出规定。

第一百三十三条　股份有限公司成立后，即向股东正式交付股票。公司成立前不得向股东交付股票。

第一百三十四条　公司发行新股，股东大会应当对下列事项作出决议：

(一)新股种类及数额;

(二)新股发行价格;

(三)新股发行的起止日期;

(四)向原有股东发行新股的种类及数额。

第一百三十五条 公司经国务院证券监督管理机构核准公开发行新股时,必须公告新股招股说明书和财务会计报告,并制作认股书。

本法第八十八条、第八十九条的规定适用于公司公开发行新股。

第一百三十六条 公司发行新股,可以根据公司经营情况和财务状况,确定其作价方案。

第一百三十七条 公司发行新股募足股款后,必须向公司登记机关办理变更登记,并公告。

第二节 股份转让

第一百三十八条 股东持有的股份可以依法转让。

第一百三十九条 股东转让其股份,应当在依法设立的证券交易场所进行或者按照国务院规定的其他方式进行。

第一百四十条 记名股票,由股东以背书方式或者法律、行政法规规定的其他方式转让;转让后由公司将受让人的姓名或者名称及住所记载于股东名册。

股东大会召开前二十日内或者公司决定分配股利的基准日前五日内,不得进行前款规定的股东名册的变更登记。但是,法律对上市公司股东名册变更登记另有规定的,从其规定。

第一百四十一条 无记名股票的转让,由股东将该股票交付给受让人后即发生转让的效力。

第一百四十二条 发起人持有的本公司股份,自公司成立之日起一年内不得转让。公司公开发行股份前已发行的股份,自公司股票在证券交易所上市交易之日起一年内不得转让。

公司董事、监事、高级管理人员应当向公司申报所持有的本公司的股份及其变动情况,在任职期间每年转让的股份不得超过其所持有本公司股份总数的百分之二十五;所持本公司股份自公司股票上市交易之日起一年内不得转让。上述人员离职后半年内,不得转让其所持有的本公司股份。公司章程可以对公司董事、监事、高级管理人员转让其所持有的本公司股份作出其他限制性规定。

第一百四十三条 公司不得收购本公司股份。但是,有下列情形之一的除外:

(一)减少公司注册资本;

(二)与持有本公司股份的其他公司合并;

(三)将股份奖励给本公司职工;

(四)股东因对股东大会作出的公司合并、分立决议持异议,要求公司收购其股份的。

公司因前款第(一)项至第(三)项的原因收购本公司股份的,应当经股东大会决议。公司依照前款规定收购本公司股份后,属于第(一)项情形的,应当自收购之日起十日内注销;属于第(二)项、第(四)项情形的,应当在六个月内转让或者注销。

公司依照第一款第(三)项规定收购的本公司股份,不得超过本公司已发行股份总额的百分之五;用于收购的资金应当从公司的税后利润中支出;所收购的股份应当在一年内转让给职工。

公司不得接受本公司的股票作为质押权的标的。

第一百四十四条 记名股票被盗、遗失或者灭失,股东可以依照《中华人民共和国民事诉讼法》规定的公示催告程序,请求人民法院宣告该股票失效。人民法院宣告该股票失效后,股东可以向公司申请补发股票。

第一百四十五条 上市公司的股票,依照有关法律、行政法规及证券交易所交易规则上市交易。

第一百四十六条 上市公司必须依照法律、行政法规的规定,公开其财务状况、经营情况及重大诉讼,在每会计年度内半年公布一次财务会计报告。

第六章 公司董事、监事、高级管理人员的资格和义务

第一百四十七条 有下列情形之一的,不得担任公司的董事、监事、高级管理人员:

(一)无民事行为能力或者限制民事行为能力;

(二)因贪污、贿赂、侵占财产、挪用财产或者破坏社会主义市场经济秩序,被判处刑罚,执行期满未逾五年,或者因犯罪被剥夺政治权利,执行期满未逾五年;

(三)担任破产清算的公司、企业的董事或者厂长、经理,对该公司、企业的破产负有个人责任的,自该公司、企业破产清算完结之日起未逾三年;

(四)担任因违法被吊销营业执照、责令关闭的公司、企业的法定代表人,并负有个人责任的,自该公司、企业被吊销营业执照之日起未逾三年;

(五)个人所负数额较大的债务到期未清偿。

公司违反前款规定选举、委派董事、监事或者聘任高级管理人员的,该选举、委派或者聘任无效。

董事、监事、高级管理人员在任职期间出现本条第一款所列情形的,公司应当解除其职务。

第一百四十八条 董事、监事、高级管理人员应当遵守法律、行政

法规和公司章程，对公司负有忠实义务和勤勉义务。

董事、监事、高级管理人员不得利用职权收受贿赂或者其他非法收入，不得侵占公司的财产。

第一百四十九条 董事、高级管理人员不得有下列行为：

（一）挪用公司资金；

（二）将公司资金以其个人名义或者以其他个人名义开立账户存储；

（三）违反公司章程的规定，未经股东会、股东大会或者董事会同意，将公司资金借贷给他人或者以公司财产为他人提供担保；

（四）违反公司章程的规定或者未经股东会、股东大会同意，与本公司订立合同或者进行交易；

（五）未经股东会或者股东大会同意，利用职务便利为自己或者他人谋取属于公司的商业机会，自营或者为他人经营与所任职公司同类的业务；

（六）接受他人与公司交易的佣金归为己有；

（七）擅自披露公司秘密；

（八）违反对公司忠实义务的其他行为。

董事、高级管理人员违反前款规定所得的收入应当归公司所有。

第一百五十条 董事、监事、高级管理人员执行公司职务时违反法律、行政法规或者公司章程的规定，给公司造成损失的，应当承担赔偿责任。

第一百五十一条 股东会或者股东大会要求董事、监事、高级管理人员列席会议的，董事、监事、高级管理人员应当列席并接受股东的质询。

董事、高级管理人员应当如实向监事会或者不设监事会的有限责任公司的监事提供有关情况和资料，不得妨碍监事会或者监事行使职权。

第一百五十二条 董事、高级管理人员有本法第一百五十条规定的情形的,有限责任公司的股东、股份有限公司连续一百八十日以上单独或者合计持有公司百分之一以上股份的股东,可以书面请求监事会或者不设监事会的有限责任公司的监事向人民法院提起诉讼;监事有本法第一百五十条规定的情形的,前述股东可以书面请求董事会或者不设董事会的有限责任公司的执行董事向人民法院提起诉讼。

监事会、不设监事会的有限责任公司的监事,或者董事会、执行董事收到前款规定的股东书面请求后拒绝提起诉讼,或者自收到请求之日起三十日内未提起诉讼,或者情况紧急、不立即提起诉讼将会使公司利益受到难以弥补的损害的,前款规定的股东有权为了公司的利益以自己的名义直接向人民法院提起诉讼。

他人侵犯公司合法权益,给公司造成损失的,本条第一款规定的股东可以依照前两款的规定向人民法院提起诉讼。

第一百五十三条 董事、高级管理人员违反法律、行政法规或者公司章程的规定,损害股东利益的,股东可以向人民法院提起诉讼。

第七章 公司债券

第一百五十四条 本法所称公司债券,是指公司依照法定程序发行、约定在一定期限还本付息的有价证券。

公司发行公司债券应当符合《中华人民共和国证券法》规定的发行条件。

第一百五十五条 发行公司债券的申请经国务院授权的部门核准后,应当公告公司债券募集办法。

公司债券募集办法中应当载明下列主要事项:

(一)公司名称;

（二）债券募集资金的用途；

（三）债券总额和债券的票面金额；

（四）债券利率的确定方式；

（五）还本付息的期限和方式；

（六）债券担保情况；

（七）债券的发行价格、发行的起止日期；

（八）公司净资产额；

（九）已发行的尚未到期的公司债券总额；

（十）公司债券的承销机构。

第一百五十六条　公司以实物券方式发行公司债券的，必须在债券上载明公司名称、债券票面金额、利率、偿还期限等事项，并由法定代表人签名，公司盖章。

第一百五十七条　公司债券，可以为记名债券，也可以为无记名债券。

第一百五十八条　公司发行公司债券应当置备公司债券存根簿。

发行记名公司债券的，应当在公司债券存根簿上载明下列事项：

（一）债券持有人的姓名或者名称及住所；

（二）债券持有人取得债券的日期及债券的编号；

（三）债券总额，债券的票面金额、利率、还本付息的期限和方式；

（四）债券的发行日期。

发行无记名公司债券的，应当在公司债券存根簿上载明债券总额、利率、偿还期限和方式、发行日期及债券的编号。

第一百五十九条　记名公司债券的登记结算机构应当建立债券登记、存管、付息、兑付等相关制度。

第一百六十条　公司债券可以转让，转让价格由转让人与受让人约定。

公司债券在证券交易所上市交易的,按照证券交易所的交易规则转让。

第一百六十一条 记名公司债券,由债券持有人以背书方式或者法律、行政法规规定的其他方式转让;转让后由公司将受让人的姓名或者名称及住所记载于公司债券存根簿。

无记名公司债券的转让,由债券持有人将该债券交付给受让人后即发生转让的效力。

第一百六十二条 上市公司经股东大会决议可以发行可转换为股票的公司债券,并在公司债券募集办法中规定具体的转换办法。上市公司发行可转换为股票的公司债券,应当报国务院证券监督管理机构核准。

发行可转换为股票的公司债券,应当在债券上标明可转换公司债券字样,并在公司债券存根簿上载明可转换公司债券的数额。

第一百六十三条 发行可转换为股票的公司债券的,公司应当按照其转换办法向债券持有人换发股票,但债券持有人对转换股票或者不转换股票有选择权。

第八章 公司财务、会计

第一百六十四条 公司应当依照法律、行政法规和国务院财政部门的规定建立本公司的财务、会计制度。

第一百六十五条 公司应当在每一会计年度终了时编制财务会计报告,并依法经会计师事务所审计。

财务会计报告应当依照法律、行政法规和国务院财政部门的规定制作。

第一百六十六条 有限责任公司应当依照公司章程规定的期限将财务会计报告送交各股东。

股份有限公司的财务会计报告应当在召开股东大会年会的二十日前置备于本公司,供股东查阅;公开发行股票的股份有限公司必须公告其财务会计报告。

第一百六十七条　公司分配当年税后利润时,应当提取利润的百分之十列入公司法定公积金。公司法定公积金累计额为公司注册资本的百分之五十以上的,可以不再提取。

公司的法定公积金不足以弥补以前年度亏损的,在依照前款规定提取法定公积金之前,应当先用当年利润弥补亏损。

公司从税后利润中提取法定公积金后,经股东会或者股东大会决议,还可以从税后利润中提取任意公积金。

公司弥补亏损和提取公积金后所余税后利润,有限责任公司依照本法第三十五条的规定分配;股份有限公司按照股东持有的股份比例分配,但股份有限公司章程规定不按持股比例分配的除外。

股东会、股东大会或者董事会违反前款规定,在公司弥补亏损和提取法定公积金之前向股东分配利润的,股东必须将违反规定分配的利润退还公司。

公司持有的本公司股份不得分配利润。

第一百六十八条　股份有限公司以超过股票票面金额的发行价格发行股份所得的溢价款以及国务院财政部门规定列入资本公积金的其他收入,应当列为公司资本公积金。

第一百六十九条　公司的公积金用于弥补公司的亏损、扩大公司生产经营或者转为增加公司资本。但是,资本公积金不得用于弥补公司的亏损。

法定公积金转为资本时,所留存的该项公积金不得少于转增前公司注册资本的百分之二十五。

第一百七十条　公司聘用、解聘承办公司审计业务的会计师事务所，依照公司章程的规定，由股东会、股东大会或者董事会决定。

公司股东会、股东大会或者董事会就解聘会计师事务所进行表决时，应当允许会计师事务所陈述意见。

第一百七十一条 公司应当向聘用的会计师事务所提供真实、完整的会计凭证、会计账簿、财务会计报告及其他会计资料，不得拒绝、隐匿、谎报。

第一百七十二条 公司除法定的会计账簿外，不得另立会计账簿。

对公司资产，不得以任何个人名义开立账户存储。

第九章 公司合并、分立、增资、减资

第一百七十三条 公司合并可以采取吸收合并或者新设合并。

一个公司吸收其他公司为吸收合并，被吸收的公司解散。两个以上公司合并设立一个新的公司为新设合并，合并各方解散。

第一百七十四条 公司合并，应当由合并各方签订合并协议，并编制资产负债表及财产清单。公司应当自作出合并决议之日起十日内通知债权人，并于三十日内在报纸上公告。债权人自接到通知书之日起三十日内，未接到通知书的自公告之日起四十五日内，可以要求公司清偿债务或者提供相应的担保。

第一百七十五条 公司合并时，合并各方的债权、债务，应当由合并后存续的公司或者新设的公司承继。

第一百七十六条 公司分立，其财产作相应的分割。

公司分立，应当编制资产负债表及财产清单。公司应当自作出分立决议之日起十日内通知债权人，并于三十日内在报纸上公告。

第一百七十七条 公司分立前的债务由分立后的公司承担连带责任。但是，公司在分立前与债权人就债务清偿达成的书面协议另有约定的除外。

第一百七十八条　公司需要减少注册资本时，必须编制资产负债表及财产清单。

公司应当自作出减少注册资本决议之日起十日内通知债权人，并于三十日内在报纸上公告。债权人自接到通知书之日起三十日内，未接到通知书的自公告之日起四十五日内，有权要求公司清偿债务或者提供相应的担保。

公司减资后的注册资本不得低于法定的最低限额。

第一百七十九条　有限责任公司增加注册资本时，股东认缴新增资本的出资，依照本法设立有限责任公司缴纳出资的有关规定执行。

股份有限公司为增加注册资本发行新股时，股东认购新股，依照本法设立股份有限公司缴纳股款的有关规定执行。

第一百八十条　公司合并或者分立，登记事项发生变更的，应当依法向公司登记机关办理变更登记；公司解散的，应当依法办理公司注销登记；设立新公司的，应当依法办理公司设立登记。

公司增加或者减少注册资本，应当依法向公司登记机关办理变更登记。

第十章　公司解散和清算

第一百八十一条　公司因下列原因解散：

（一）公司章程规定的营业期限届满或者公司章程规定的其他解散事由出现；

（二）股东会或者股东大会决议解散；

（三）因公司合并或者分立需要解散；

（四）依法被吊销营业执照、责令关闭或者被撤销；

（五）人民法院依照本法第一百八十三条的规定予以解散。

第一百八十二条　公司有本法第一百八十一条第（一）项情形的，

可以通过修改公司章程而存续。

依照前款规定修改公司章程，有限责任公司须经持有三分之二以上表决权的股东通过，股份有限公司须经出席股东大会会议的股东所持表决权的三分之二以上通过。

第一百八十三条 公司经营管理发生严重困难，继续存续会使股东利益受到重大损失，通过其他途径不能解决的，持有公司全部股东表决权百分之十以上的股东，可以请求人民法院解散公司。

第一百八十四条 公司因本法第一百八十一条第（一）项、第（二）项、第（四）项、第（五）项规定而解散的，应当在解散事由出现之日起十五日内成立清算组，开始清算。有限责任公司的清算组由股东组成，股份有限公司的清算组由董事或者股东大会确定的人员组成。逾期不成立清算组进行清算的，债权人可以申请人民法院指定有关人员组成清算组进行清算。人民法院应当受理该申请，并及时组织清算组进行清算。

第一百八十五条 清算组在清算期间行使下列职权：

（一）清理公司财产，分别编制资产负债表和财产清单；

（二）通知、公告债权人；

（三）处理与清算有关的公司未了结的业务；

（四）清缴所欠税款以及清算过程中产生的税款；

（五）清理债权、债务；

（六）处理公司清偿债务后的剩余财产；

（七）代表公司参与民事诉讼活动。

第一百八十六条 清算组应当自成立之日起十日内通知债权人，并于六十日内在报纸上公告。债权人应当自接到通知书之日起三十日内，未接到通知书的自公告之日起四十五日内，向清算组申报其债权。

债权人申报债权，应当说明债权的有关事项，并提供证明材料。清算组应当对债权进行登记。

在申报债权期间，清算组不得对债权人进行清偿。

第一百八十七条　清算组在清理公司财产、编制资产负债表和财产清单后，应当制定清算方案，并报股东会、股东大会或者人民法院确认。

公司财产在分别支付清算费用、职工的工资、社会保险费用和法定补偿金，缴纳所欠税款，清偿公司债务后的剩余财产，有限责任公司按照股东的出资比例分配，股份有限公司按照股东持有的股份比例分配。

清算期间，公司存续，但不得开展与清算无关的经营活动。公司财产在未依照前款规定清偿前，不得分配给股东。

第一百八十八条　清算组在清理公司财产、编制资产负债表和财产清单后，发现公司财产不足清偿债务的，应当依法向人民法院申请宣告破产。

公司经人民法院裁定宣告破产后，清算组应当将清算事务移交给人民法院。

第一百八十九条　公司清算结束后，清算组应当制作清算报告，报股东会、股东大会或者人民法院确认，并报送公司登记机关，申请注销公司登记，公告公司终止。

第一百九十条　清算组成员应当忠于职守，依法履行清算义务。

清算组成员不得利用职权收受贿赂或者其他非法收入，不得侵占公司财产。

清算组成员因故意或者重大过失给公司或者债权人造成损失的，应当承担赔偿责任。

第一百九十一条　公司被依法宣告破产的，依照有关企业破产的法律实施破产清算。

第十一章 外国公司的分支机构

第一百九十二条 本法所称外国公司是指依照外国法律在中国境外设立的公司。

第一百九十三条 外国公司在中国境内设立分支机构,必须向中国主管机关提出申请,并提交其公司章程、所属国的公司登记证书等有关文件,经批准后,向公司登记机关依法办理登记,领取营业执照。

外国公司分支机构的审批办法由国务院另行规定。

第一百九十四条 外国公司在中国境内设立分支机构,必须在中国境内指定负责该分支机构的代表人或者代理人,并向该分支机构拨付与其所从事的经营活动相适应的资金。

对外国公司分支机构的经营资金需要规定最低限额的,由国务院另行规定。

第一百九十五条 外国公司的分支机构应当在其名称中标明该外国公司的国籍及责任形式。

外国公司的分支机构应当在本机构中置备该外国公司章程。

第一百九十六条 外国公司在中国境内设立的分支机构不具有中国法人资格。

外国公司对其分支机构在中国境内进行经营活动承担民事责任。

第一百九十七条 经批准设立的外国公司分支机构,在中国境内从事业务活动,必须遵守中国的法律,不得损害中国的社会公共利益,其合法权益受中国法律保护。

第一百九十八条 外国公司撤销其在中国境内的分支机构时,必须依法清偿债务,依照本法有关公司清算程序的规定进行清算。未清偿债务之前,不得将其分支机构的财产移至中国境外。

第十二章　法律责任

第一百九十九条　违反本法规定，虚报注册资本、提交虚假材料或者采取其他欺诈手段隐瞒重要事实取得公司登记的，由公司登记机关责令改正，对虚报注册资本的公司，处以虚报注册资本金额百分之五以上百分之十五以下的罚款；对提交虚假材料或者采取其他欺诈手段隐瞒重要事实的公司，处以五万元以上五十万元以下的罚款；情节严重的，撤销公司登记或者吊销营业执照。

第二百条　公司的发起人、股东虚假出资，未交付或者未按期交付作为出资的货币或者非货币财产的，由公司登记机关责令改正，处以虚假出资金额百分之五以上百分之十五以下的罚款。

第二百零一条　公司的发起人、股东在公司成立后，抽逃其出资的，由公司登记机关责令改正，处以所抽逃出资金额百分之五以上百分之十五以下的罚款。

第二百零二条　公司违反本法规定，在法定的会计账簿以外另立会计账簿的，由县级以上人民政府财政部门责令改正，处以五万元以上五十万元以下的罚款。

第二百零三条　公司在依法向有关主管部门提供的财务会计报告等材料上作虚假记载或者隐瞒重要事实的，由有关主管部门对直接负责的主管人员和其他直接责任人员处以三万元以上三十万元以下的罚款。

第二百零四条　公司不依照本法规定提取法定公积金的，由县级以上人民政府财政部门责令如数补足应当提取的金额，可以对公司处以二十万元以下的罚款。

第二百零五条　公司在合并、分立、减少注册资本或者进行清算时，不依照本法规定通知或者公告债权人的，由公司登记机关责令改正，对公司处以一万元以上十万元以下的罚款。

公司在进行清算时，隐匿财产，对资产负债表或者财产清单作虚假记载或者在未清偿债务前分配公司财产的，由公司登记机关责令改正，对公司处以隐匿财产或者未清偿债务前分配公司财产金额百分之五以上百分之十以下的罚款；对直接负责的主管人员和其他直接责任人员处以一万元以上十万元以下的罚款。

第二百零六条 公司在清算期间开展与清算无关的经营活动的，由公司登记机关予以警告，没收违法所得。

第二百零七条 清算组不依照本法规定向公司登记机关报送清算报告，或者报送清算报告隐瞒重要事实或者有重大遗漏的，由公司登记机关责令改正。

清算组成员利用职权徇私舞弊、谋取非法收入或者侵占公司财产的，由公司登记机关责令退还公司财产，没收违法所得，并可以处以违法所得一倍以上五倍以下的罚款。

第二百零八条 承担资产评估、验资或者验证的机构提供虚假材料的，由公司登记机关没收违法所得，处以违法所得一倍以上五倍以下的罚款，并可以由有关主管部门依法责令该机构停业、吊销直接责任人员的资格证书，吊销营业执照。

承担资产评估、验资或者验证的机构因过失提供有重大遗漏的报告的，由公司登记机关责令改正，情节较重的，处以所得收入一倍以上五倍以下的罚款，并可以由有关主管部门依法责令该机构停业、吊销直接责任人员的资格证书，吊销营业执照。

承担资产评估、验资或者验证的机构因其出具的评估结果、验资或者验证证明不实，给公司债权人造成损失的，除能够证明自己没有过错的外，在其评估或者证明不实的金额范围内承担赔偿责任。

第二百零九条 公司登记机关对不符合本法规定条件的登记申请

予以登记，或者对符合本法规定条件的登记申请不予登记的，对直接负责的主管人员和其他直接责任人员，依法给予行政处分。

第二百一十条 公司登记机关的上级部门强令公司登记机关对不符合本法规定条件的登记申请予以登记，或者对符合本法规定条件的登记申请不予登记的，或者对违法登记进行包庇的，对直接负责的主管人员和其他直接责任人员依法给予行政处分。

第二百一十一条 未依法登记为有限责任公司或者股份有限公司，而冒用有限责任公司或者股份有限公司名义的，或者未依法登记为有限责任公司或者股份有限公司的分公司，而冒用有限责任公司或者股份有限公司的分公司名义的，由公司登记机关责令改正或者予以取缔，可以并处十万元以下的罚款。

第二百一十二条 公司成立后无正当理由超过六个月未开业的，或者开业后自行停业连续六个月以上的，可以由公司登记机关吊销营业执照。

公司登记事项发生变更时，未依照本法规定办理有关变更登记的，由公司登记机关责令限期登记；逾期不登记的，处以一万元以上十万元以下的罚款。

第二百一十三条 外国公司违反本法规定，擅自在中国境内设立分支机构的，由公司登记机关责令改正或者关闭，可以并处五万元以上二十万元以下的罚款。

第二百一十四条 利用公司名义从事危害国家安全、社会公共利益的严重违法行为的，吊销营业执照。

第二百一十五条 公司违反本法规定，应当承担民事赔偿责任和缴纳罚款、罚金的，其财产不足以支付时，先承担民事赔偿责任。

第二百一十六条 违反本法规定，构成犯罪的，依法追究刑事责任。

第十三章 附　　则

第二百一十七条 本法下列用语的含义：

（一）高级管理人员，是指公司的经理、副经理、财务负责人，上市公司董事会秘书和公司章程规定的其他人员。

（二）控股股东，是指其出资额占有限责任公司资本总额百分之五十以上或者其持有的股份占股份有限公司股本总额百分之五十以上的股东；出资额或者持有股份的比例虽然不足百分之五十，但依其出资额或者持有的股份所享有的表决权已足以对股东会、股东大会的决议产生重大影响的股东。

（三）实际控制人，是指虽不是公司的股东，但通过投资关系、协议或者其他安排，能够实际支配公司行为的人。

（四）关联关系，是指公司控股股东、实际控制人、董事、监事、高级管理人员与其直接或者间接控制的企业之间的关系，以及可能导致公司利益转移的其他关系。但是，国家控股的企业之间不仅因为同受国家控股而具有关联关系。

第二百一十八条 外商投资的有限责任公司和股份有限公司适用本法；有关外商投资的法律另有规定的，适用其规定。

第二百一十九条 本法自2006年1月1日起施行。

企业国有资产监督管理暂行条例

（2003 年 5 月 27 日国务院发布）

第一章 总 则

第一条 为建立适应社会主义市场经济需要的国有资产监督管理体制，进一步搞好国有企业，推动国有经济布局和结构的战略性调整，发展和壮大国有经济，实现国有资产保值增值，制定本条例。

第二条 国有及国有控股企业、国有参股企业中的国有资产的监督管理，适用本条例。

金融机构中的国有资产的监督管理，不适用本条例。

第三条 本条例所称企业国有资产，是指国家对企业各种形式的投资和投资所形成的权益，以及依法认定为国家所有的其他权益。

第四条 企业国有资产属于国家所有。国家实行由国务院和地方人民政府分别代表国家履行出资人职责，享有所有者权益，权利、义务和责任相统一，管资产和管人、管事相结合的国有资产管理体制。

第五条 国务院代表国家对关系国民经济命脉和国家安全的大型国有及国有控股、国有参股企业，重要基础设施和重要自然资源等领域的国有及国有控股、国有参股企业，履行出资人职责。国务院履行出资人职责的企业，由国务院确定、公布。

省、自治区、直辖市人民政府和设区的市、自治州级人民政府分别代表国家对由国务院履行出资人职责以外的国有及国有控股、国有参股企业，履行出资人职责。其中，省、自治区、直辖市人民政府履行出资人职责的国有及国有控股、国有参股企业，由省、自治区、直辖市人民政府确定、公布，并报国务院国有资产监督管理机构备案；其他由设区的市、自治州级人民政府履行出资人职责的国有及国有控股、国有参股企业，由设区的市、自治州级人民政府确定、公布，并报省、自治区、直辖市人民政府国有资产监督管理机构备案。

国务院，省、自治区、直辖市人民政府，设区的市、自治州级人民政府履行出资人职责的企业，以下统称所出资企业。

第六条 国务院，省、自治区、直辖市人民政府，设区的市、自治州级人民政府，分别设立国有资产监督管理机构。国有资产监督管理机构根据授权，依法履行出资人职责，依法对企业国有资产进行监督管理。

企业国有资产较少的设区的市、自治州，经省、自治区、直辖市人民政府批准，可以不单独设立国有资产监督管理机构。

第七条 各级人民政府应当严格执行国有资产管理法律、法规，坚持政府的社会公共管理职能与国有资产出资人职能分开，坚持政企分开，实行所有权与经营权分离。

国有资产监督管理机构不行使政府的社会公共管理职能，政府其他机构、部门不履行企业国有资产出资人职责。

第八条 国有资产监督管理机构应当依照本条例和其他有关法律、行政法规的规定，建立健全内部监督制度，严格执行法律、行政法规。

第九条 发生战争、严重自然灾害或者其他重大、紧急情况时，国家可以依法统一调用、处置企业国有资产。

第十条　所出资企业及其投资设立的企业,享有有关法律、行政法规规定的企业经营自主权。

国有资产监督管理机构应当支持企业依法自主经营,除履行出资人职责以外,不得干预企业的生产经营活动。

第十一条　所出资企业应当努力提高经济效益,对其经营管理的企业国有资产承担保值增值责任。

所出资企业应当接受国有资产监督管理机构依法实施的监督管理,不得损害企业国有资产所有者和其他出资人的合法权益。

第二章　国有资产监督管理机构

第十二条　国务院国有资产监督管理机构是代表国务院履行出资人职责、负责监督管理企业国有资产的直属特设机构。

省、自治区、直辖市人民政府国有资产监督管理机构,设区的市、自治州级人民政府国有资产监督管理机构是代表本级政府履行出资人职责、负责监督管理企业国有资产的直属特设机构。

上级政府国有资产监督管理机构依法对下级政府的国有资产监督管理工作进行指导和监督。

第十三条　国有资产监督管理机构的主要职责是:

(一)依照《中华人民共和国公司法》等法律、法规,对所出资企业履行出资人职责,维护所有者权益;

(二)指导推进国有及国有控股企业的改革和重组;

(三)依照规定向所出资企业派出监事会;

(四)依照法定程序对所出资企业的企业负责人进行任免、考核,并根据考核结果对其进行奖惩;

(五)通过统计、稽核等方式对企业国有资产的保值增值情况进行监管;

（六）履行出资人的其他职责和承办本级政府交办的其他事项。

国务院国有资产监督管理机构除前款规定职责外，可以制定企业国有资产监督管理的规章、制度。

第十四条 国有资产监督管理机构的主要义务是：

（一）推进国有资产合理流动和优化配置，推动国有经济布局和结构的调整；

（二）保持和提高关系国民经济命脉和国家安全领域国有经济的控制力和竞争力，提高国有经济的整体素质；

（三）探索有效的企业国有资产经营体制和方式，加强企业国有资产监督管理工作，促进企业国有资产保值增值，防止企业国有资产流失；

（四）指导和促进国有及国有控股企业建立现代企业制度，完善法人治理结构，推进管理现代化；

（五）尊重、维护国有及国有控股企业经营自主权，依法维护企业合法权益，促进企业依法经营管理，增强企业竞争力；

（六）指导和协调解决国有及国有控股企业改革与发展中的困难和问题。

第十五条 国有资产监督管理机构应当向本级政府报告企业国有资产监督管理工作、国有资产保值增值状况和其他重大事项。

第三章 企业负责人管理

第十六条 国有资产监督管理机构应当建立健全适应现代企业制度要求的企业负责人的选用机制和激励约束机制。

第十七条 国有资产监督管理机构依照有关规定，任免或者建议任免所出资企业的企业负责人：

（一）任免国有独资企业的总经理、副总经理、总会计师及其他企业负责人；

（二）任免国有独资公司的董事长、副董事长、董事，并向其提出总经理、副总经理、总会计师等的任免建议；

（三）依照公司章程，提出向国有控股的公司派出的董事、监事人选，推荐国有控股的公司的董事长、副董事长和监事会主席人选，并向其提出总经理、副总经理、总会计师人选的建议；

（四）依照公司章程，提出向国有参股的公司派出的董事、监事人选。

国务院，省、自治区、直辖市人民政府，设区的市、自治州级人民政府，对所出资企业的企业负责人的任免另有规定的，按照有关规定执行。

第十八条　国有资产监督管理机构应当建立企业负责人经营业绩考核制度，与其任命的企业负责人签订业绩合同，根据业绩合同对企业负责人进行年度考核和任期考核。

第十九条　国有资产监督管理机构应当依照有关规定，确定所出资企业中的国有独资企业、国有独资公司的企业负责人的薪酬；依据考核结果，决定其向所出资企业派出的企业负责人的奖惩。

第四章　企业重大事项管理

第二十条　国有资产监督管理机构负责指导国有及国有控股企业建立现代企业制度，审核批准其所出资企业中的国有独资企业、国有独资公司的重组、股份制改造方案和所出资企业中的国有独资公司的章程。

第二十一条　国有资产监督管理机构依照法定程序决定其所出资企业中的国有独资企业、国有独资公司的分立、合并、破产、解散、增减资本、发行公司债券等重大事项。其中，重要的国有独资企业、国有独资公司分立、合并、破产、解散的，应当由国有资产监督管理机构审核后，报本级人民政府批准。

国有资产监督管理机构依照法定程序审核、决定国防科技工业领域其所出资企业中的国有独资企业、国有独资公司的有关重大事项时，按照国家有关法律、规定执行。

第二十二条 国有资产监督管理机构依照公司法的规定，派出股东代表、董事，参加国有控股的公司、国有参股的公司的股东会、董事会。

国有控股的公司、国有参股的公司的股东会、董事会决定公司的分立、合并、破产、解散、增减资本、发行公司债券、任免企业负责人等重大事项时，国有资产监督管理机构派出的股东代表、董事，应当按照国有资产监督管理机构的指示发表意见、行使表决权。

国有资产监督管理机构派出的股东代表、董事，应当将其履行职责的有关情况及时向国有资产监督管理机构报告。

第二十三条 国有资产监督管理机构决定其所出资企业的国有股权转让。其中，转让全部国有股权或者转让部分国有股权致使国家不再拥有控股地位的，报本级人民政府批准。

第二十四条 所出资企业投资设立的重要子企业的重大事项，需由所出资企业报国有资产监督管理机构批准的，管理办法由国务院国有资产监督管理机构另行制定，报国务院批准。

第二十五条 国有资产监督管理机构依照国家有关规定组织协调所出资企业中的国有独资企业、国有独资公司的兼并破产工作，并配合有关部门做好企业下岗职工安置等工作。

第二十六条 国有资产监督管理机构依照国家有关规定拟订所出资企业收入分配制度改革的指导意见，调控所出资企业工资分配的总体水平。

第二十七条　所出资企业中的国有独资企业、国有独资公司经国务院批准，可以作为国务院规定的投资公司、控股公司，享有公司法第十二条规定的权利；可以作为国家授权投资的机构，享有公司法第二十条规定的权利。

第二十八条　国有资产监督管理机构可以对所出资企业中具备条件的国有独资企业、国有独资公司进行国有资产授权经营。

被授权的国有独资企业、国有独资公司对其全资、控股、参股企业中国家投资形成的国有资产依法进行经营、管理和监督。

第二十九条　被授权的国有独资企业、国有独资公司应当建立和完善规范的现代企业制度，并承担企业国有资产的保值增值责任。

第五章　企业国有资产管理

第三十条　国有资产监督管理机构依照国家有关规定，负责企业国有资产的产权界定、产权登记、资产评估监管、清产核资、资产统计、综合评价等基础管理工作。

国有资产监督管理机构协调其所出资企业之间的企业国有资产产权纠纷。

第三十一条　国有资产监督管理机构应当建立企业国有资产产权交易监督管理制度，加强企业国有资产产权交易的监督管理，促进企业国有资产的合理流动，防止企业国有资产流失。

第三十二条　国有资产监督管理机构对其所出资企业的企业国有资产收益依法履行出资人职责；对其所出资企业的重大投融资规划、发展战略和规划，依照国家发展规划和产业政策履行出资人职责。

第三十三条　所出资企业中的国有独资企业、国有独资公司的重大资产处置，需由国有资产监督管理机构批准的，依照有关规定执行。

第六章　企业国有资产监督

第三十四条　国务院国有资产监督管理机构代表国务院向其所出资企业中的国有独资企业、国有独资公司派出监事会。监事会的组成、职权、行为规范等,依照《国有企业监事会暂行条例》的规定执行。

地方人民政府国有资产监督管理机构代表本级人民政府向其所出资企业中的国有独资企业、国有独资公司派出监事会,参照《国有企业监事会暂行条例》的规定执行。

第三十五条　国有资产监督管理机构依法对所出资企业财务进行监督,建立和完善国有资产保值增值指标体系,维护国有资产出资人的权益。

第三十六条　国有及国有控股企业应当加强内部监督和风险控制,依照国家有关规定建立健全财务、审计、企业法律顾问和职工民主监督等制度。

第三十七条　所出资企业中的国有独资企业、国有独资公司应当按照规定定期向国有资产监督管理机构报告财务状况、生产经营状况和国有资产保值增值状况。

第七章　法律责任

第三十八条　国有资产监督管理机构不按规定任免或者建议任免所出资企业的企业负责人,或者违法干预所出资企业的生产经营活动,侵犯其合法权益,造成企业国有资产损失或者其他严重后果的,对直接负责的主管人员和其他直接责任人员依法给予行政处分;构成犯罪的,依法追究刑事责任。

第三十九条　所出资企业中的国有独资企业、国有独资公司未按照规定向国有资产监督管理机构报告财务状况、生产经营状况和国有资产保值增值状况的,予以警告;情节严重的,对直接负责的主管人员和其他直接责任人员依法给予纪律处分。

第四十条 国有及国有控股企业的企业负责人滥用职权、玩忽职守,造成企业国有资产损失的,应负赔偿责任,并对其依法给予纪律处分;构成犯罪的,依法追究刑事责任。

第四十一条 对企业国有资产损失负有责任受到撤职以上纪律处分的国有及国有控股企业的企业负责人,5 年内不得担任任何国有及国有控股企业的企业负责人;造成企业国有资产重大损失或者被判处刑罚的,终身不得担任任何国有及国有控股企业的企业负责人。

第八章 附 则

第四十二条 国有及国有控股企业、国有参股企业的组织形式、组织机构、权利和义务等,依照《中华人民共和国公司法》等法律、行政法规和本条例的规定执行。

第四十三条 国有及国有控股企业、国有参股企业中中国共产党基层组织建设、社会主义精神文明建设和党风廉政建设,依照《中国共产党章程》和有关规定执行。

国有及国有控股企业、国有参股企业中工会组织依照《中华人民共和国工会法》和《中国工会章程》的有关规定执行。

第四十四条 国务院国有资产监督管理机构,省、自治区、直辖市人民政府可以依据本条例制定实施办法。

第四十五条 本条例施行前制定的有关企业国有资产监督管理的行政法规与本条例不一致的,依照本条例的规定执行。

第四十六条 政企尚未分开的单位,应当按照国务院的规定,加快改革,实现政企分开。政企分开后的企业,由国有资产监督管理机构依法履行出资人职责,依法对企业国有资产进行监督管理。

第四十七条 本条例自公布之日起施行。

国务院关于试行国有资本经营预算的意见

（2007 年 9 月 8 日 国务院发布）

各省、自治区、直辖市人民政府，国务院各部委、各直属机构：

国有资本经营预算，是国家以所有者身份依法取得国有资本收益，并对所得收益进行分配而发生的各项收支预算，是政府预算的重要组成部分。建立国有资本经营预算制度，对增强政府的宏观调控能力，完善国有企业收入分配制度，推进国有经济布局和结构的战略性调整，集中解决国有企业发展中的体制性、机制性问题，具有重要意义。国务院决定试行国有资本经营预算，现提出以下意见：

一、试行国有资本经营预算的指导思想和原则

（一）试行国有资本经营预算，要以邓小平理论和“三个代表”重要思想为指导，坚持科学发展观，通过对国有资本收益的合理分配及使用，增强政府的宏观调控能力，完善国有企业收入分配制度，促进国有资本的合理配置，推动国有企业的改革和发展。

（二）试行国有资本经营预算，应坚持以下原则：

统筹兼顾，适度集中。统筹兼顾企业自身积累、自身发展和国有经

济结构调整及国民经济宏观调控的需要，适度集中国有资本收益，合理确定预算收支规模。

相对独立，相互衔接。既保持国有资本经营预算的完整性和相对独立性，又保持与政府公共预算（指一般预算）的相互衔接。

分级编制，逐步实施。国有资本经营预算实行分级管理、分级编制，根据条件逐步实施。

二、国有资本经营预算的收支范围

（三）国有资本经营预算的收入是指各级人民政府及其部门、机构履行出资人职责的企业（即一级企业，下同）上交的国有资本收益，主要包括：

1. 国有独资企业按规定上交国家的利润。

2. 国有控股、参股企业国有股权（股份）获得的股利、股息。

3. 企业国有产权（含国有股份）转让收入。

4. 国有独资企业清算收入（扣除清算费用），以及国有控股、参股企业国有股权（股份）分享的公司清算收入（扣除清算费用）。

5. 其他收入。

（四）国有资本经营预算的支出主要包括：

1. 资本性支出。根据产业发展规划、国有经济布局和结构调整、国有企业发展要求，以及国家战略、安全等需要，安排的资本性支出。

2. 费用性支出。用于弥补国有企业改革成本等方面的费用性支出。

3. 其他支出。

具体支出范围依据国家宏观经济政策以及不同时期国有企业改革和发展的任务，统筹安排确定。必要时，可部分用于社会保障等项支出。

（五）国家依法收取企业国有资本收益，具体办法由财政部门会同国有资产监管机构等有关部门制订，报本级人民政府批准后施行。

三、国有资本经营预算的编制和审批

（六）国有资本经营预算单独编制，预算支出按照当年预算收入规模安排，不列赤字。

（七）各级财政部门为国有资本经营预算的主管部门。各级国有资产监管机构以及其他有国有企业监管职能的部门和单位，为国有资本经营预算单位（以下统称预算单位）。

（八）试行期间，各级财政部门商国资监管、发展改革等部门编制国有资本经营预算草案，报经本级人民政府批准后下达各预算单位。各预算单位具体下达所监管（或所属）企业的预算，抄送同级财政部门备案。

四、国有资本经营预算的执行

（九）国有资本经营预算收入由财政部门、国有资产监管机构收取、组织上交。企业按规定应上交的国有资本收益，应及时、足额直接上交财政。

（十）国有资本经营预算资金支出，由企业在经批准的预算范围内提出申请，报经财政部门审核后，按照财政国库管理制度的有关规定，直接拨付使用单位。使用单位应当按照规定用途使用、管理预算资金，并依法接受监督。

（十一）国有资本经营预算执行中如需调整，须按规定程序报批。年度预算确定后，企业改变财务隶属关系引起预算级次和关系变化的，应当同时办理预算划转。

（十二）年度终了后，财政部门应当编制国有资本经营决算草案报本级人民政府批准。

五、国有资本经营预算的职责分工

（十三）财政部门的主要职责是：负责制（修）订国有资本经营预算的各项管理制度、预算编制办法和预算收支科目；编制国有资本经营预算草案；编制国有资本经营预算收支月报，报告国有资本经营预算执行情况；汇总编报国有资本经营决算；会同有关部门制定企业国有资本收益收取办法；收取企业国有资本收益。财政部负责审核和汇总编制全国国有资本经营预、决算草案。

（十四）各预算单位的主要职责是：负责研究制订本单位国有经济布局和结构调整的政策措施，参与制订国有资本经营预算有关管理制度；提出本单位年度国有资本经营预算建议草案；组织和监督本单位国有资本经营预算的执行；编报本单位年度国有资本经营决算草案；负责组织所监管（或所属）企业上交国有资本收益。

六、试行国有资本经营预算的组织实施

（十五）中央本级国有资本经营预算从2008年开始实施，2008年收取实施范围内企业2007年实现的国有资本收益。2007年进行国有资本经营预算试点，收取部分企业2006年实现的国有资本收益。各地区国有资本经营预算的试行时间、范围、步骤，由各省、自治区、直辖市和计划单列市人民政府决定。

（十六）建立国有资本经营预算制度，是完善社会主义市场经济体制的一项重大制度建设，涉及面广，政策性强。各地区、各部门要充分认识建立国有资本经营预算制度的重要意义，高度重视，加强领导，精心组织，积极稳妥地做好此项工作。财政部要会同国资委等有关部门抓紧制订有关配套制度和办法。各预算单位和有关企业要认真执行国

有资本经营预算的各项制度和办法。有关部门、单位和企业要加强沟通,积极配合,确保试行工作的顺利进行。

国务院

二〇〇七年九月八日

二、相关说明、汇报和报告

关于《中华人民共和国国有资产法（草案）》的说明

——2007 年 12 月 23 日在第十届全国人民代表大会常务委员会第三十一次会议上

全国人大财政经济委员会副主任委员　石广生

委员长、各位副委员长、秘书长、各位委员：

我受全国人大财政经济委员会的委托，现对《中华人民共和国国有资产法（草案）》作说明。

新中国成立以来特别是改革开放以来，在党的领导下，经过全国人民的艰苦奋斗，经济建设取得了举世瞩目的辉煌成就。我国国有经济日益发展壮大，已积累起数量巨大的国有资产。据统计，至 2006 年末，全国仅国有及国有控股的非金融类企业的总资产和净资产就分别达到 29 万亿元和 12.2 万亿元。把国家所有即全民所有的国有资产保护好、运用好，把国有资产权益实现好、维护好，巩固和发展国有经济，增强国有经济的活力、控制力、影响力，对于坚持我国社会主义基本经济制度，增强综合国力和民族凝聚力，不断提高人民生活水平，具有十分重要的作用。

在建立和完善社会主义市场经济体制的改革进程中，我国国有资产管理体制和国有企业经营机制改革取得明显成效，国有经济的总体实力进一步增强，在国民经济中继续发挥着主导作用。同时，也应清醒地看到，有些国有企业在改制过程中，将国有资产低价折股、低价出售，甚至无偿分给个人，或者以其他方式和手段侵害国有资产权益，造成国有资产流失的情况比较严重，引起人民群众和社会和方面的广泛关注。要求制定专门的法律，健全制度，堵塞漏洞，切实维护国有资产权益，保障国有资产安全，促进国有经济巩固和发展的呼声很高。近年来，每年都有许多全国人大代表提出尽快制定国有资产法的议案、建议，成为本届全国人大代表提出议案、建议最多的立法项目之一。物权法出台后，制定国有资产法以落实物权法的有关规定、切实保护国有资产权益的要求更加迫切。

全国人大常委会和国务院都高度重视国有资产法的制定工作。常委会将其列入五年立法规划和 2007 年立法计划，常委会领导同志对制定这部法律提出明确要求。国务院领导同志要求有关部门积极配合做好工作，保证国有资产法的制定按计划顺利进行。按照常委会立法规划和年度立法计划的要求，全国人大财经委员会在第八届、第九届全国人大财经委员会为制定国有资产法所做大量工作的基础上，继续会同有关部门广泛调查研究，召开各种类型座谈会，征求各方面意见，反复论证，从实际出发确定立法重点，拟订了国有资产法（草案稿），并于今年 10 月下旬召开座谈会，分别听取国务院有关部门、部分地方人大和政府有关部门，以及部分中央和地方国有企业对草案稿的意见；经进一步修改后，请国务院法制办公室再次征求国务院有关部门的意见。国务院法制办汇总各有关部门的意见并报国务院领导，总的认为，草案稿体现了党的十六大以来中央确立的国有资产管理体制改革的方向和总体思路，总体框架基本合理，内容较为全面，结构严谨，基本成熟，赞成提请全国人大常委会审议；同时，也提出了一些修改意见。财经委员会会同有关方面对草案稿又作了进一步修改，形成了《中华人民共和国国有资产法（草案）》。草案已经全国人大财政经济委员会第九十四次全体会议审议通过。

一、制定国有资产法的总体思路

制定国有资产法，必须贯彻党的十六大、十七大精神，依照宪法规定，坚持社会主义基本经济制度，保障国有经济的巩固和发展。要从实际出发，针对社会普遍关注、迫切需要通过立法解决、实践经验也比较成熟的主要问题作出规定。经广泛征求意见，各方面普遍认为：目前，经营性国有资产管理中需要专门立法加以规范的突出问题，主要是如何维护好国有资产权益，保障国有资产安全，防止国有资产流失，促进国有经济的巩固和发展。针对这方面的问题建立起比较完善、有效的法律制度，是迫切需要的。国有资产立法应当以此为重点，确立相关的法律制度。对改革过程中正在探索、尚需总结实践经验的一些问题，本法可暂不规定或者只作原则规定；对应由国家宏观政策调整的国有经济战略布局和结构调整等问题，本法可以不作规定；对公司法等法律、行政法规中已有明确规定的保障企业经营自主权，建立现代企业制度、完善法人治理结构等问题，应依照有关法律、行政法规的规定执行，本法可只作衔接性的原则规定。

二、草案的主要内容

按照上述总体思路，草案共 9 章 76 条，主要规定了以下内容：

（一）关于本法的适用范围

国有资产一般可划分为由国家对企业的出资形成的经营性资产，由国家机关、国有事业单位等组织使用管理的行政事业性资产，以及属于国家所有的土地、矿藏、森林、水流等资源性资产。经汇集各方面意见，反复研究论证认为：上述三类资产在功能、监管方式等方面有很大不同，难以用一部“大而全”的法律全面调整。考虑到有关资源性资产已有相关的专门法律调整，行政事业性资产的管理目前也有相应的行政法规规范，而经营性国有资产在国有资产中占有很大比重，具有特殊的地位和作用，实践中迫切需要专门立法的问题突出，据此，草案规定：本法适用于经营性国有资产，即国家对企业的出资和由此形成的权益。国家对金融类企业的出资和由此形成的权益，也属于经营性国有资产，应当纳入本法的统一规范和保护范围；同时，考虑到对金融类资产监管的特殊性问题应适用有关金融方面的法律、行政法规的规定，据此，草案还规定：经营性国有资产中的金融类资产的管理与监督，法律、行政法规另有规定的，依照其规定（第二条）。

草案起草过程中，各方面对由政府国有资产监督管理机构履行出资人职责的经营性国有资产适用本法，认识比较一致；对目前仍由其他部门按照国务院的授权履行出资人职责的经营性国有资产是否适用本法，曾有不同意见。经反复研究认为，根据党的十六大有关精神，依照物权法的有关规定，凡是国家出资的企业，都应由政府代表国家履行出资人职责，政府可以授权国有资产监督管理机构或者其他有关部门、机构代表政府履行出资人职责。国有资产监督管理机构或者政府授权的其他部门、机构履行出资人职责的经营性国有资产，都应适用本法规定。这样处理，有利于依法对各类经营性国有资产的统一规范和一体保护。各有关方面对草案规定的本法适用范围已经形成共识。

此外，对本法的名称，在草案起草过程中曾有不同意见，提出过多种方案。经反复比较研究,考虑到经营性国有资产在全部国有资产中占有较大比重,实践中需要专门立法的也主要是经营性国有资产的有关问题,因此,将本法名称仍定为国有资产法,同时对本法的适用范围作出明确规定,较为适宜。

(二)关于国有资产监督管理体制

在草案起草过程中,曾设想对国有资产监管体制问题作出比较明确具体的规定,但对于如何规定,一直有不同意见,难以取得一致。经多次征求意见,反复研究认为:建立符合社会主义市场经济体制要求的国有资产监管体制,是一个渐进的过程,需要在实践中总结经验,逐步完善,目前在法律中作出明确具体规定的条件还不成熟,因此,以作出原则性的规定为宜,具体监管体制可由国务院根据改革进程作出具体规定并适时调整。这样处理,既有利于通过立法解决实践中迫切需要解决的保障国有资产权益,维护国有资产安全的主要问题,又可为国有资产监管体制的进一步改革完善留有空间,比较切合实际。据此,草案根据党的十六大、十七大有关精神,原则规定:"国家建立健全与社会主义市场经济体制相适应的国有资产监督管理体制";"国务院和地方人民政府应当按照政企分开、社会公共管理职能与国有资产出资人职能分开、不干预企业依法自主经营的原则,依法履行出资人职责"(第五条、第七条)。

关于本法是否规定和如何规定国有资产监督管理机构的具体职责问题,草案起草过程中也曾有不同意见。经研究认为:国有资产监督管理机构作为政府的特设机构,其具体工作职责应依照宪法和国务院组织法等法律的规定,由政府确定,不必在法律中规定。这也是其他立法处理这类问题的通常做法。

(三)关于履行出资人职责的机构

根据党的十六大提出的"国家要制定法律法规,建立中央政府和地方政府分别代表国家履行出资人职责"的国有资产管理体制的要求，总结这几年改革的实践经验，草案对履行出资人职责的机构作了专章规定，按照国有独资、控股、参股的不同企业类型，规定了政府授权的机构履行出资人职责的主要内容、方式和责任等，以从法律制度上解决国有资产出资人代表到位，行使国有资产出资人权利，承担维护出资人权益责任的问题（第二章）。考虑到目前履行出资人职责的机构主要是政府国有资产监督管理机构，同时国务院还授权其他有关部门对某些国有企业履行出资人职责，如授权财政部对中国邮政集团公司等履行出资人职责，草案规定：由政府“国有资产监督管理机构”以及政府“授权的其他有关部门、机构”，按照本级政府的授权，履行出资人职责（第十条）。这样规定，兼顾了目前的实际情况，也为国务院根据改革需要适时调整履行出资人职责的机构留有余地。

（四）关于国家出资企业

草案对国家出资企业作了专章规定（第三章）。草案规定，国家出资企业包括企业全部注册资本均为国有资本的国有独资公司和非公司制的国有独资企业，也包括企业注册资本中包含部分国有资本的国有资本控股公司和国有资本参股公司（第十五条）。本法规范的重点是国有独资企业、国有独资公司和国有控股公司。需要说明的是，有关国家出资企业的组织形式、设立方式、内容组织机构及治理结构、企业的经营自主权等，主要适用公司法等专门的企业组织法律的规定，草案对有关问题主要是作了与相关法律相衔接的规定。同时，草案还对国家出资企业对其投资设立的企业的相关权益作了规定（第二十一条）。

（五）关于国家出资企业的管理者

企业管理者直接负责企业财产的经营管理。国家出资企业的管理者对维护国有资产权益关系重大。草案按照建立健全与现代企业制度相适应的企业管理者选拔任用机制的要求，总结企业人事制度改革的实践经验，并与公司法等法律规定相衔接，按照国有独资、控股、参股的不同企业类型,对国家出资企业管理者的有关事项作了专章规定(第四章)。主要包括:一是规定了应由履行出资人职责的机构任免或者建议任免的企业管理者的范围;二是规定了国家出资企业管理者的任职基本条件;三是规定了对有关企业管理者的任命或者建议任命的程序;四是规定了企业管理者履行职责应遵守的基本准则和责任;五是规定了对有关企业管理者的兼职禁止、经济责任审计、考核、奖惩等事项。

(六)关于涉及国有资产权益的重大事项

国家出资企业的合并、分立、改制、增减资本、发行债券、重大投资、为他人提供担保、国有资产转让,以及企业的资产评估、利润分配、申请破产等事项,与出资人权益关系重大,也是实践中发生国有资产流失的主要环节,各方面普遍要求作出有针对性的法律规定,依法加强监管,维护国有资产权益,防止国有资产流失,促进国有资产保值增值。草案以这部分内容为重点,在广泛调查研究,认真总结实践经验,研究现行有关法规、规章和政策规定的基础上,将实践证明是行之有效的、成熟的规定和做法,以法律的形式固定下来,对关系国有资产出资人权益的重大事项作了专章规定(第五章)。主要包括:一是按照国家出资企业的不同类型,对关系出资人权益重大事项的决定权限和决策程序作了明确规定,既注意保障企业依法享有的经营自主权,又注意保证国有资产出资人代表履行职责到位,依法行使出资人权利;二是规定了企业改制、与关联方交易、国家资产转让、资产评估等应遵守的基本规则,防止以“暗箱操作”等手段侵害国有资产出资人权益;三是对企业的重大投资、提供担保、转让财产等行为规定了防范风险的基本要求;四是规定了职工的民主监督,对涉及职工权益的重大事项,应当听取工会的意见,并通过职工代表大会或者其他形式征求职工的意见,接受职工的监督。通过这些规定,从法律制度上构建起保障国有资产安全、防止国有资产流失的屏障。

（七）关于国有资本经营预算

国有资本经营的收益属于国家。将国有资本经营收益纳入预算管理，有利于合理调整和规范国家出资企业的收入分配关系，有利于增强政府的宏观调控能力，进一步推进国有经济布局和结构的战略性调整，促进国有企业的改革和发展，也有利于使全体人民共享国有资本的经营成果。根据党的十六大、十七大提出的建设国有资本经营预算制度的要求，草案明确规定对国有资本收益实行预算管理。依照预算法的规定，并参照今年9月国务院发布的《国务院关于试行国有资本经营预算的意见》，草案对国有资本经营预算的收支范围、编制原则、编制和批准程序等作了原则规定（第六章）。同时，考虑到国有资本经营预算制度正在试点，还需要在实践中逐步调整完善，草案规定：国有资本经营预算管理的具体办法和实施步骤由国务院规定，报全国人大常委会备案（第六十二条）。

（八）关于对国有资产的监督

草案就加强对国有资产的监督作了规定（第七章）。包括各级人大常委会通过听取政府关于国有资产监督管理情况的专项工作报告、组织对本法实施情况的执法检查等，依法进行监督；政府对其授权履行出资人职责的机构履行职责的情况进行监督；审计机关依法实施审计监督；以及接受社会的监督等。根据我国国情，建立起全方位的避免国有资产流失、保障国有资产安全的预防体系。

（九）关于法律责任

草案对履行出资人职责的机构及其工作人员、国家出资企业的管理者、有关中介机构等违反本法规定，侵害国有资产权益，造成国有资产损失的法律责任作了明确规定，以依法制裁违法犯罪行为，保障本法的有效实施（第八章）。

《中华人民共和国国有资产法（草案）》和以上说明是否妥当，请审议。

全国人大法律委员会关于《中华人民共和国国有资产法(草案)》修改情况的汇报

全国人民代表大会常务委员会:

十届全国人大常委会第三十一次会议对国有资产法(草案)进行了初次审议。会后,法制工作委员会将草案印发各省(区、市)、中央有关部门和部分企业等单位征求意见。法律委员会、法制工作委员会还召开座谈会,到一些地方调研,听取地方、部门、企业和专家的意见。普遍认为:为了巩固和发展国有经济,防止国有资产流失,制定这部法律很有必要;草案的规定重点突出,针对性较强,总体可以;同时,也提出了一些修改意见。法律委员会、法制工作委员会就几个主要问题同有关部门交换意见,共同研究。法律委员会于6月5日召开会议,根据十届全国人大常委会组成人员的审议意见和各方面的意见,对草案进行了逐条审议。财政经济委员会和国务院法制办、国资委的负责同志列席了会议。6月18日,法律委员会召开会议,再次进行了审议。现就主要问题修改情况汇报如下:

一、草案的名称为国有资产法。有些常委会组成人员和地方、部门、企业提出,国有资产的范围很广,从草案第二条规定看,本法的适用范围仅限于经营性国有资产,即国家对企业的出资所形成的权益。

建议对本法的名称再作研究，使本法名称与其适用范围相适应。法律委员会经同财政经济委员会和国务院法制办、国资委研究认为，草案主要是针对维护企业国有资产权益、保障国有资产安全、促进国有资产保值增值作出的规定，目前企业国有资产的概念已广为使用，将本法名称定为“企业国有资产法”更为恰当。据此，建议将本法名称改为“企业国有资产法”；同时，将草案第二条相应修改为：“本法所称企业国有资产（以下称国有资产），是指国家对企业各种形式的出资所形成的权益。金融企业国有资产的管理与监督，法律、行政法规另有规定的，依照其规定。”（草案二次审议稿第二条）

二、草案第十条中规定，国务院和地方人民政府国有资产监督管理机构，以及政府授权的其他有关部门、机构，代表本级政府履行出资人职责。有些常委会组成人员和一些地方、部门、企业提出，按照国务院的现行规定和改革的实际做法，目前绝大多数非金融类的国家出资企业，都是由政府国有资产监督管理机构统一履行出资人职责；只有少数行业的国家出资企业，是由政府授权其他部门、机构履行出资人职责。这一改革在实践中已取得较好效果，建议对草案上述将国有资产监督管理机构与其他授权的部门、机构予以并列的表述作适当修改。法律委员会经同财政经济委员会和国务院法制办、国资委研究，建议将上述规定修改为两款，分别规定：“国务院国有资产监督管理机构和地方人民政府按照国务院的规定设立的国有资产监督管理机构，根据本级人民政府的授权，代表本级人民政府对国家出资企业履行出资人职责。”“国务院和地方人民政府根据需要，可以授权其他部门、机构代表本级人民政府对国家出资企业履行出资人职责。”（草案二次审议稿第十一条第一款、第二款）

三、草案第二十五条第二款规定：“国有独资公司的董事长和经理不得由同一人担任。履行出资人职责的机构不得建议同一人担任国有控股公司的董事长和经理。”有些地方、部门和企业提出，国有独资公司的规模大小等情况有较大不同，目前地方一些中小型国有独资、国有控股公司的董事长和总经理由同一人担任的情况不少，建议对上述规定再作研究。法律委员会经同财政经济委员会和国务院法制办、国资委研究认为，公司董事长与经理分设，有利于形成各负其责、有效制衡的法人治理结构。考虑到公司法已规定，经国有资产监督管理机构同意，国有独资公司董事会成员可以兼任经理，本法对此可作出与公司法相衔接的规定。在实际执行中，应严格依照法定程序，对公司董事长兼任经理从严掌握。据此，建议将上述规定修改为：“未经履行出资人职责的机构或者股东会、股东大会同意，国有独资公司、国有控股公司的董事长不得兼任经理。”（草案二次审议稿第二十四条第二款）

四、有的地方和部门提出，按照现行规定，对国家出资企业管理者，除由履行出资人职责的机构任免外，还有一些重要的国家出资企业的主要负责人是由国务院或者地方人民政府决定任免的，草案第二十二条关于任免国家出资企业管理人的规定，没有包括这种情况，建议补充这方面的规定。法律委员会经同财政经济委员会和国务院法制办、国资委研究，建议增加规定：“依照本法第二十一条规定由履行出资人职责的机构任免的企业管理者，国务院和地方人民政府规定由本级人民政府任免的，依照其规定。”（草案二次审议稿第二十八条）

五、草案第五章对国家出资企业关系国有资产出资人权益的重大事项的决策程序和运作规则作了规定。有些常委委员和地方、部门、企业提出，一些国家出资企业投资设立的子企业规模较大，集中了不少优良资产，目前造成国有资产流失的情况不少是发生在子企业。因此，国家出资企业应当参照这一章规定的相关规则，对其投资的企业严格履行出资人的职责，决定或参与决定所投资企业的重大事项。法律委员会经同财政经济委员会和国务院法制办、国资委研究，建议在草案第五章中增加一条，规定："国家出资企业对其所出资企业的重大事项参照本章规定履行出资人职责。具体办法由国务院规定。"(草案二次会议稿第三十七条)

六、有些常委委员和地方、部门提出，在国家出资企业与关联方的交易以及国有资产转让等活动中，当事人恶意串通，损害国有资产权益的行为，应明确规定为无效，以防止国有资产损失。法律委员会经同财政经济委员会和国务院法制办研究，建议增加一条，规定："在涉及关联方交易、国有资产转让等交易活动中，当事人恶意串通，损害国有资产权益的，该交易行为无效。"(草案二次审议稿第七十一条)

此外，还对草案作了一些文字修改。

草案二次审议稿已按上述意见作了修改。法律委员会建议本次常委会会议继续审议。

草案二次审议稿和以上汇报是否妥当，请审议。

全国人大法律委员会

2008年6月24日

全国人民代表大会法律委员会关于《中华人民共和国企业国有资产法（草案）》审议结果的报告

全国人民代表大会常务委员会：

常委会第三次会议对企业国有资产法（草案二次审议稿）进行了审议。会后，法律委员会、法制工作委员会就有关问题进一步调研，并就草案的进一步修改与有关部门交换意见，共同研究。法律委员会于10月9日召开会议，根据常委会组成人员的审议意见和各方面的意见，对草案进行了审议。财政经济委员会和国务院法制办、国资委的负责同志列席了会议。10月17日，法律委员会召开会议，再次进行了审议。法律委员会认为，为了维护国有资产权益，保障国有资产安全，巩固和发展国有经济，制定本法很有必要。草案经过常委会两次审议修改，已经比较成熟；同时，提出以下主要修改意见：

一、草案二次审议稿第二条规定：本法所称企业国有资产，是指国家对企业各种形式的出资所形成的权益。金融企业国有资产的管理与监督，法律、行政法规另有规定的，依照其规定。有些常委会组成人员提出，这一条对金融企业国有资产是否适用本法，规定得不明确。金融企业国有资产也应适用本法规定。法律委员会经同财政经济委员会和国务院法制办研究，为避免在理解上产生歧义，建议在第二条中只规定:本法所称企业国有资产,是指国家对企业各种形式的出资所形成的权益(草案三次审议稿第二条),即在本法“总则”中明确,包括金融企业国有资产在内的各类企业国有资产都适用本法规定。同时,为与商业银行法、银行业监督管理法、证券法、保险法等法律和有关行政法规对金融企业的特别规定相衔接,建议在“附则”中规定:金融企业国有资产的管理与监督,法律、行政法规另有规定的,依照其规定。(草案三次审议稿第七十六条)

二、草案有关条款中对企业职工民主管理、民主监督的权利作了规定。有些常委委员提出,为保障企业职工依法享有的民主管理权利,本法还应对职工民主管理单列一条,作出专门规定。法律委员会经同财政经济委员会和国务院法制办、国资委研究,建议在“国家出资企业”一章中规定:国家出资企业依照法律规定,通过职工代表大会或者其他形式,实行民主管理。(草案三次审议稿第二十条)

三、草案二次审议稿第三十三条中规定:重要的国有控股公司的合并、公立、解散、申请破产以及法律、行政法规和本级政府规定应当报经本级政府批准的重大事项,应当由履行出资人职责的机构事先报请本级政府批准。有些常委委员提出,按照公司法的规定,国有资本控股公司的上述重大事项,应由股东会、股东大会决定,不须经政府批准。法律委员会经同财政经济委员会和国务院法制办、国资委研究认为,这里应当明确的是,国有资本控股公司的股东会、股东大会就上述重大事项作出决定,履行出资人职责的机构在向其委派参加会议行使表决权的股东代表作出指示前,应依法就上述重大事项报本级政府批准。据此,法律委员会建议将上述规定修改为:重要的国有资本控股公司的合并、分立、解散、申请破产以及法律、行政法规和本级政府规定应当由履行出资人职责的机构报经本级政府批准的重大事项,履行出资人职责的机构在向其委派参加公司股东会、股东大会会议的股东代表作出指示

前，应当报请本级政府批准。（草案三次审议稿第三十四条）

此外，还对草案二次审议稿作了一些文字修改。

草案三次审议稿已按上述意见作了修改，法律委员会建议本次常委会会议审议通过。

草案三次审议稿和以上报告是否妥当，请审议。

全国人民代表大会法律委员会
2008 年 10 月 23 日

全国人民代表大会法律委员会关于《中华人民共和国企业国有资产法（草案三次审议稿）》修改意见的报告

——2008 年 10 月 27 日在第十一届全国人民代表大会常务委员会第五次会议上

全国人大法律委员会主任委员　胡康生

全国人民代表大会常务委员会：

本次常委会会议于 10 月 24 日上午对企业国有资产法（草案三次审议稿）进行了分组审议。普遍认为，草案经过常委会两次审议修改，已经比较成熟，建议进一步修改后，提请本次会议表决通过；同时，有些常委会组成人员又提出了一些修改意见。法律委员会于 10 月 25 日上午召开会议，逐条研究了常委会组成人员的审议意见，对草案进行了审议。财政经济委员会和国务院法制办、国资委的负责同志列席了会议。法律委员会认为，草案是可行的，同时提出以下主要修改意见：

一、草案三次审议稿第二十五条对国家出资企业的董事、高级管理人员的兼职作了限制性规定。有的常委委员提出，还应明确规定董事、高级管理人员不得兼任监事。法律委员会经研究,建议在这一条中增加一款,规定:“董事、高级管理人员不得兼任监事。”这样规定与公司法的有关规定是衔接的。(建议表决稿第二十五条第三款)

二、草案三次审议稿第七十一条规定了国家出资企业的董事、监事、高级管理人员利用职权收受贿赂或者取得其他非法收入,侵占、挪用企业资产等违法行为的法律责任。有些常委委员提出,对企业管理者利用职权取得的违法收入,应依法予以追缴或者归国家出资企业所有。法律委员会经研究,建议在本条增加一款作为第二款,规定:“国家出资企业的董事、监事、高级管理人员因前款所列行为取得的收入,依法予以追缴或者归国家出资企业所有。”(建议表决稿第七十一条第二款)

这里还有两个问题需要汇报。一是,有的常委委员提出,行政事业性国有资产不纳入本法调整不够完整。法律委员会研究认为,关于本法的适用范围,在草案起草审议过程中已同财政经济委员会和国务院法制办等有关部门反复研究论证,本法是针对国家出资企业的问题作出规定,建议不再改动为宜。二是,有些常委委员提出,社会上对国家出资企业管理者的薪酬问题比较关注,本法应作出相应规定。法律委员会经同财政经济委员会和国务院法制办、国资委反复研究认为,按照激励与约束相结合的要求,合理确定企业管理者的薪酬标准,很有必要;但这个问题比较复杂,需要综合考虑企业的经营规模、经营业绩、经营风险、所在行业和地区的企业平均工资、本企业职工的平均工资,以及与其他经济类型企业管理者工资水平的平衡等多种因素,对此在法律中难以作出具体规定。草案三次审议稿第二十七条中已规定,履行出资人职责的机构应当按照国家有关规定,确定其任命的企业负责人的薪酬标准,目前国资委已制定了国家出资企业负责人薪酬管理的暂行办法,对确定企业负责人薪酬标准作了具体规定,本法以不再具体规定为宜。法律委员会建议国务院有关机构、部门认真研究常委会组成人员的意见，不断总结实践经验，进一步完善国家出资企业管理者薪酬管理办法。

此外，根据有的常委委员的意见，还对草案三次审议稿作了个别文字修改。

草案建议表决稿已按上述意见作了修改，法律委员会建议本次常委会会议通过。

草案建议表决稿和以上报告是否妥当，请审议。

三、相关立法资料

十届全国人大常委会第三十一次会议分组审议国有资产法(草案)的意见

十届全国人大常委会第三十一次会议对国有资产法(草案)进行了初次审议。现将主要意见简报如下:

一、总的看法

常委会组成人员普遍认为,改革开放以来特别是近些年来,我国国有企业改革不断深化,国有资产管理体制改革取得明显成效,国有经济不断发展壮大。但实践中,侵害国有资产权益、造成国有资产流失的情况也比较严重,人民群众和社会各方面广泛关注。物权法出台后,落实物权法有关国有资产保护规定的要求更加迫切。制定国有资产法,对维护国家基本经济制度,巩固和发展国有经济,保障国有资产权益,构建中国特色社会主义法律体系具有重要意义。草案体现了党的十六大以来确立的国有资产管理体制改革方向,重点比较突出,总体框架较为合理,为常委会审议提供了一个较好的基础。

有些委员提出,草案对起草过程中争议较大的几个难点问题,处理得比较妥当,如将本法的适用范围确定为经营性国有资产,对国有资产管理体制只作原则规定等，符合实际，也为进一步改革留有空间。

有的委员提出，这部法既要防止企业经营不善造成的国有资产损失，也要防止国有资产管理中的各种腐败行为造成的国有资产流失。

有的委员提出，这部法律很重要，为把它制定好，征求意见的范围应大一些。有的委员建议将草案向社会公布，广泛征求意见。

二、关于本法的适用范围和名称

有的委员提出，经营性国有资产和行政事业性、资源性国有资产的管理方式和适用的法律规则有很大不同，难以在一部法律中作出统一规范。行政事业性、资源性国有资产已有相关法律、行政法规调整，将本法的适用范围确定为经营性国有资产，以解决经营性国有资产管理中存在的突出问题，是适当的。有的委员建议，将行政事业性和资源性国有资产也纳入本法调整。

有的委员提出，本法的名称是“国有资产法”，但本法不适用于行政事业性和资源性国有资产，似名实不符。有的委员建议将本法名称改为“经营性国有资产法”；有的委员建议改为“企业国有资产法”。

有的委员提出，本法规范经营性国有资产的管理与监督，不管企业经营活动，因此建议将本法名称改为“国有资产监督管理法”。

有的委员提出，目前的名称是大家可以理解和接受的。

三、关于履行出资人职责的机构

有的委员提出，为实现政企分开，保证市场公平竞争，应将政府公共管理职能与国有资产出资人职能分开。目前从总体上看，国资委管得过多过细。国资委应当只履行出资人职能，即代表政府依法享有资产收益、参与重大决策和选择管理者等出资人权利，除此以外不应承担行政管理职能。

有的委员提出，目前我国国有资产管理体制仍在不断完善，还没有完全定型，履行出资人职责的机构主要是国资委，还有国务院和地方人民政府授权的其他部门，实践中对国资委性质的认识也不完全一致。草案关于履行出资人职责的机构的规定，体现了十六大确定的国有资产管理体制改革的精神，同时也为进一步改革和调整留有余地。

有的委员建议删去草案第十条中的“以及国务院和地方人民政府授权的其他部门、机构”。

有的委员建议明确国务院国有资产监督管理机构和地方政府国有资产监管机构之间的隶属关系，并对国资监管机构工作人员的资质与考核作出规定。有的委员建议，授予国有资产监督管理机构适当的监管权力。比如，对国有资产转让中的欺诈行为的调查权。

有的委员建议，将草案第十一条中履行出资人职责的机构制定国家出资企业章程的规定，改为制定、修改国家出资企业章程。

四、关于企业民主管理和职工权益保护

有的委员提出，实行职工民主管理是国有企业的重要特点，草案应进一步完善这方面的内容。

有的委员提出，草案第三十七条规定的合并、分立、改制等重大事项，除应当听取企业工会和职工的意见外，还应当由职工代表大会通过。有的委员建议在这一条中增加“通过听取意见达成共识”。

有的委员建议增加规定，国有企业管理层和职工的工资调整方案应由董事会决定，并提交职工代表大会讨论。

五、关于企业管理者

有的委员提出，目前企业的干部任命全都由国资委来管，这不合适。国资委只能任命董事和监事，总经理应由董事长提名，董事会任

命，国资委享有否决权。董事长和总经理都由国资委任命，与公司法的规定不符，也难以落实国有资产保值增值责任。

有的委员建议，对国有企业管理者的权利、责任和薪酬等作出更明确的规定。有的委员建议，对第二十八条第二款规定的国家出资企业管理者的薪酬标准予以具体化，以企业职工平均工资的10倍为限，防止国有资产变相流失。

六、关于关系国有资产出资人权益的重大事项

有的委员建议，对草案规定的关联交易行为作出更明确、具体的限制，以增强可操作性。

有的委员建议，将国有参股公司的资产评估事项也纳入本法调整，并增加规定，企业的资产评估和审计不得选择同一家中介机构进行，以确保资产评估的公平、公正。

有的委员建议，针对国有资产境外经营等可能导致国有资产流失的新情况，进一步完善有关保护国有资产的规定。有的委员提出，目前国家出资企业高价收购他人资产也是国有资产流失的一个途径，建议增加这方面的规定。

七、关于国有资本经营预算

有的委员提出，草案确立了国有资本经营预算制度，有利于市场公平竞争，有利于全体人民共享国有企业发展的成果，非常必要。有的委员提出，近年来国有企业效益提高，利润大幅增长，但国家作为所有者却未从国有企业获得收益。本法应解决国有企业的利润分配问题。

有的委员提出，国有资本经营预算不仅要考虑出资人的利益和企业自身发展的需要，还要考虑国家和全体人民的长远利益，以及当前国家经济工作的方针和政策。建议对草案第五十七条的规定再作研究。

有的委员建议增加规定,国有资本经营预算资金应当用于国有企业改制和弥补亏损以及补充社会保险基金等。

八、关于法律责任

有的委员建议增加规定,国家出资企业的关联方与该企业之间的不正当交易行为无效,关联方因此获得的财产应予返还。

有的委员建议,增加企业高管人员因重大决策失误造成国有资产损失如何承担责任的规定。

有的委员建议,增加一条特别的追诉条款,对本法实施前一段期间发生的侵害国有资产权益的行为予以追诉。

九、其他意见

1. 有的委员建议,在草案第一条中增加"维护国有资产安全,实现国有资产保值增值"的内容。

2. 有的委员建议,在总则中增加各级人大及其常委会对国有资产进行监督的内容。

3. 有的委员建议将国有控股公司中的"控股"明确为控股50%以上。

4. 有的委员提出,股权多元化是国有企业改革的方向,这样可以避免一股独大,完善国有企业治理结构,有利于国有资产保护,本法应体现这一精神。

5. 有的委员提出,国有企业与其他企业不同,应当承担更多的社会责任,建议进一步完善这方面的规定。

6. 有的委员建议,处理好本法与公司法、物权法等相关法律之间的衔接。

十一届全国人大常委会第三次会议审议企业国有资产法（草案二次审议稿）的意见

十一届全国人大常委会第三次会议对企业国有资产法（草案二次审议稿）进行了分组审议。现将主要意见简报如下：

一、总的看法

常委会组成人员普遍认为，为了促进国有经济的巩固和发展，保障国有资产权益，维护国有资产安全，制定本法十分必要。

不少委员认为，草案二审稿根据十届全国人大常委会组成人员的审议意见和各方面的意见对草案所作的修改，重点突出，针对性较强，比较可行。

有些常委会组成人员提出，社会各方面对国有资产立法很关注，对草案涉及的有些问题还有一些不同意见，建议进一步广泛征求意见。有的委员提出，这部法律应当对涉及国有企业的诸多关系作出规定，既体现保护国有资产安全，也体现鼓励国有企业深化改革。但现在有些问题还不清楚，条件不完全成熟。有的委员提出，本法还有一些重要问题，如本法的适用范围、国有资产监管机构的具体职能定位和责任等，需要进一步研究，不要匆忙出台。

有的委员提出，现实中侵害国有资产权益，造成国有资产流失的情况比较严重，已引起人民群众和社会各方面的高度关注。本法应当尽早公布实施，并在实践中进一步总结经验，逐步加以完善。有的委员提出，草案在现阶段来看已经比较成熟，当然也还不尽完善，但改革还没有进行到那一步，有些问题只能随着改革的深化不断解决。建议进一步修改完善后尽快通过。有的委员提出，本法的核心是保障国有资产权益，防止国有资产流失。对有些一时还难以达成共识或有体制性障碍的问题，本法可以先不作规定。

二、关于本法的名称和适用范围

有些委员提出，草案二审稿将本法名称改为“企业国有资产法”，与其内容更相符合，赞成这一修改。有的委员提出，国家将其财产作为出资投入到企业，该财产就成为企业法人财产。在本法名称中使用“企业国有资产”这个概念，容易被误解为企业法人的财产中还有一部分财产属于国家所有，建议对本法名称再作研究。有的委员建议将本法名称改为“企业国有资产监管法”。有的委员建议改为“经营性国有资产法”。有的委员建议对本法的名称不作修改，适用范围不要仅限于企业国有资产。

有的委员建议，将事业单位的经营性国有资产纳入本法调整。有的全国人大代表建议，将本法适用范围扩大到各类国有资产。

有些常委会组成人员提出，企业国有资产与资源性国有资产、行政事业性国有资产在功能和管理方式上有很大不同，难以通过一部法律来调整所有国有资产，目前迫切需要专门立法解决企业国有资产管理中的突出问题，将本法的适用范围确定为企业国有资产是适当的。

草案二审稿第二条中规定，金融企业国有资产的管理与监督，法律、行政法规另有规定的，依照其规定。有的委员提出，从上述规定看，金融企业国有资产似不适用本法。金融企业国有资产是企业国有资产的重要组成部分,应当纳入本法调整。有的委员提出,金融企业国有资产的管理和监督与其他企业国有资产存在较大差异,不宜纳入本法调整范围。有的委员建议对金融企业国有资产的管理与监督另行立法。

三、关于企业国有资产定义

草案二审稿第二条中规定:“本法所称企业国有资产(以下称国有资产),是指国家对企业各种形式的出资所形成的权益。”

有的委员提出,企业国有资产除国家对企业的出资所形成的权益外,还应包括国家对企业的税收返还、专项拨款等。建议在上述关于企业国有资产定义的规定中,增加“以及依法属于国家所有的其他权益”。

有的委员提出,草案二审稿将“国有资产”定义为一种“权益”,不妥,建议再作研究。有的委员提出,“国有资产”是一个大概念,“企业国有资产”是一个小概念,不宜将大概念作为小概念的简称。

四、关于国有资产监督管理体制

草案二审稿第十一条第二款规定,国务院和地方政府根据需要,可以授权其他部门、机构代表本级政府对国家出资企业履行出资人职责。

有的全国人大代表提出,上述规定没有充分体现党的十六大以来确立的由政府国有资产监督管理机构按照“权利、义务、责任相统一,管资产与管人、管事相结合”的原则,统一履行出资人职责的国有资产管理体制的改革方向,容易产生国有资产多头管理的弊端。建议删去上述政府可以授权其他部门、机构履行出资人职责的规定,只保留由政府国有资产监管机构履行出资人职责的规定;并增加规定:国资监管机构不行使社会公共监管职责,政府其他部门不履行国有资产出资人职责。侯义斌委员建议明确由一个专门机构统一履行出资人职责。

有的委员提出,我国国有资产管理体制仍处在改革探索中,目前存在财政等部门根据政府授权履行出资人职责的情况,草案二审稿的上述规定是符合实际的。有的委员提出,对我国数量巨大的国有资产,仅靠一个机构是管不了的,政府还需要委托其他部门或者机构进行管理。有的委员提出,草案二审稿的上述规定是今后国资监管体制改革的方向。从中央层面讲,应当出现几十个履行出资人职责的机构。有的委员建议规定,政府可以设立国有资产控股公司,代表本级政府履行出资人职责。

有的委员提出,国资监管机构既对国家出资企业履行出资人职责,又对其进行监督管理,不够合理,不宜将这两种职能赋予一个机构。有的委员提出,国有资产监督管理机构既是出资人代表,又是监管者,不恰当。但现在要改也不现实,本法只能这样表述。

有的委员提出,企业国有资产管理模式经过四、五年的实践已经比较成熟,现在用这部法把它相对固定下来并不是不可以,有法可依总比没有强,法将来还可以再修改。

有的委员建议对国资委的监管职能作出具体规定。有的全国人大代表建议增加规定:上级政府国资监管机构依法对下级政府国资监管机构的工作进行指导和监督。

五、关于国家出资企业的管理者

有的委员提出,草案二审稿第二十二条中关于国家出资企业的高管人员应当“有良好的品行”的规定,不好界定,建议修改。

草案二审稿第二十四条中规定,未经履行出资人职责的机构或者股东会、股东大会同意,国有独资、控股公司的董事长不得兼任经理。有的委员提出,国有独资、控股公司的董事长与经理分设,有利于形成内部监督制衡机制，减少腐败行为的发生，因此还是应当禁止董事长兼任经理。有的委员建议将上述规定修改：国有独资、控股公司的董事长不得兼任经理，特殊情况下需要兼任的，须经履行出资人职责的机构或者股东会、股东大会同意。

有的委员提出，目前有些国家出资企业管理者的薪酬过高，缺乏监管，建议进一步完善草案有关规定。有的委员建议增加规定，国家出资企业管理者的薪酬标准应当与企业的盈利情况和职工薪酬标准挂钩。

有的委员建议将草案二审稿第二十八条关于由政府任命部分重要国家出资企业管理者的规定删去，这样也不会影响组织部门按照“党管干部”的原则决定上述人员的任免。

有的委员建议，增加由履行出资人职责的机构任命国有独资企业、国有独资公司总法律顾问的规定。

六、关于关系国有资产出资人权益的重大事项

草案二审稿第三十七条规定，国家出资企业对其所出资企业的重大事项参照本章规定履行出资人职责。有的委员建议，将这一条中的“国家出资企业”改为“国有独资企业、国有独资公司、国有控股公司”。有的委员建议，将这一条中的“所出资企业”限定为国家出资企业独资或者控股的子企业。

有的委员建议，在草案二审稿第三十八条中将变更企业组织形式作为企业改制的一种情形。

草案二审稿第四十七条对国有独资、控股企业委托资产评估机构作了规定。有的委员建议改为由履行出资人职责的机构委托资产评估机构。有的委员建议增加规定，在企业改制的资产评估中，应对企业无形资产一并评估。

草案二审稿第五十五条对国有资产向本企业的董事、监事、高级管

理人员或者其近亲属，或者这些人员所有或者实际控制的企业转让作了规定。有的委员提出，应当禁止向上述人员和企业转让国有资产。有的委员提出，董事、监事、高级管理人员持股，是对这些人员实行利益激励的一种方式，不宜一律禁止，但应当通过提高批准层级等方式进行监管，防止国有资产流失。

七、关于企业民主管理和职工权益保护

有的委员建议在草案二审稿第三章中增加规定：国家出资企业按照宪法和有关法律规定，实行民主管理。有的委员建议增加规定：国家出资企业应当建立职工工资增长机制，完善职工薪酬体系，维护职工民主监督权利。

草案二审稿第三十六条规定，国有独资、控股企业的合并、分立、改制等重大事项应当通过职工代表大会、职工大会或者其他形式听取职工的意见和建议，接受职工的监督。有的委员建议，删去这一条中的“或者采取其他形式”，以防止国有独资、控股企业规避通过职工代表大会或者职工大会听取职工意见。有的委员提出，转让国有资产也应当通过职工代表大会或者职工大会听取职工意见。有的委员建议增加规定：企业的管理人员持股方案，应当经职工代表大会或者职工大会审议通过；职工收入的变动，应当与企业的劳动生产率、利润和高管人员的收入变动挂钩。

八、关于国有资本经营预算

有的委员建议，将草案二审稿第五十七条中关于对“国有资本收入实行预算管理”的规定，修改为对“国有资本收入和支出实行预算管理”。

有的委员建议，对国有资本经营预算的支出范围作出规定。有的

代表建议增加规定,国有资本经营预算收入主要用于推动国有经济发展和布局调整的资本性支出以及弥补国有企业改革成本的支出。

有的委员建议,将草案二审稿第六十条中关于由政府财政部门负责国有资本经营预算草案编制工作的规定,修改为由“财政部门会同国有资产监督管理机构”负责编制。

九、关于国有资产监督

有的委员建议,增加各级人大加强对国有资产监督的规定,以更好地体现国有资产属于全民所有。有的代表建议增加规定,全国人民代表大会每年听取和审议国务院关于全国国有资产保值增值情况的报告。有的委员建议,在草案二审稿第六十二条规定的人大常委会的监督方式中,增加提出有关质询案的监督方式。

有的委员建议增加规定:国家出资企业应当公开经营和财务信息,接受社会公众的监督。

十、关于法律责任

有的委员提出,按照草案二审稿“法律责任”一章的规定,对违反本法规定造成国有资产损失的行为,只是依法给予处分和承担赔偿责任,处罚偏轻,建议再作研究。有的委员提出,草案二审稿中一些禁止性行为没有规定相应的法律责任,建议增加。

草案二审稿第七十条中规定,国家出资企业的董事、监事、高级管理人员有该条所列行为的,应当依法承担赔偿责任。有的委员建议增加规定,上述人员因违法行为取得的不当利益应予返还。有的委员建议增加规定,其不当利益归国家出资企业所有。

草案二审稿第七十一条规定,在涉及关联方交易、国有资产转让等交易活动中,当事人恶意串通,损害国有资产权益的,该交易行为无效。

有的委员建议增加规定，造成国有资产损失的，依法承担赔偿责任。

十一、其他意见

1. 有的委员建议在草案二审稿第一条中增加“根据宪法”制定本法的规定；并增加关于国家出资企业的设立、登记等规定。

2. 有的委员建议，将草案二审稿第五条中的“国有控股公司、国有参股公司”，修改为“国资控股公司、国资参股公司”。陈佳贵委员建议将其中的“控股”明确为控股50%以上。

3. 有的委员建议，在草案二审稿第七条“增强国有经济的控制力、影响力”后增加“竞争力”。

4. 有的委员建议对国有资产保值增值考核和责任追究制度作出更为具体的规定。

5. 有的委员提出，应注意进一步处理好本法与公司法等法律的衔接问题。

各地方和中央有关部门、企业对国有资产法（草案）的意见

最近，法制工作委员会将国有资产法（草案）印发各省、自治区、直辖市和中央有关部门、部分国有及国有控股企业和研究机构等单位征求意见。现将主要意见简报如下：

一、总的看法

许多地方、部门和企业等单位认为，为了维护我国基本经济制度，巩固和发展国有经济，在总结实践经验的基础上，制定国有资产法很有必要。草案体现了我国国有资产管理体制改革的方向；以保护国有资产权益，防止国有资产流失，促进国有资产保值增值为立法重点，比较切合实际；相关制度规定基本可行。建议进一步修改完善后尽快出台。

有的单位提出，目前我国国有资产管理体制仍处在改革之中，还存在许多不足，需要进一步探索、完善。草案有关国有资产管理体制和主要制度的规范，没有实质性突破，现在出台国有资产法的时机还不成熟。

二、关于本法的名称

有些地方、部门和企业提出，本法的名称与调整范围不符，建议研

究修改。有些地方、部门和企业建议将本法的名称修改为“企业国有资产法”或者“企业国有资产监督管理法”；建议修改为“经营性国有资产法”；建议修改为“国有资产出资人法”。

三、关于本法的适用范围

(一)关于本法适用的国有资产范围

草案第二条中规定,本法适用于经营性国有资产;行政事业性、资源性国有资产的管理与监督,适用有关法律、行政法规的规定。有些地方建议,将本法的调整范围扩大至所有的国有资产。有的地方建议,将行政事业性国有资产纳入本法调整范围。有的地方、部门和企业建议,增加关于行政事业性国有资产和资源性国有资产管理的原则性规定。

草案第二条中规定,本法所称经营性国有资产,是指国家对企业的出资和由此形成的权益。有的部门建议,将经营性国有资产的定义修改为“是指国家、政府以及政府授权的投资实体对企业的出资和由此形成的权益”;有的部门建议修改为“是指国家对企业的出资形成的权益”。有的企业建议对这一规定中的“由此所形成的权益”作出明确界定。有的地方建议在这一规定中增加“依法认定为国家所有的其他权益”;有的地方建议增加“其他经营性国有资产”。

有些地方和部门建议,明确国家机关和事业单位的经营性资产是否属于本法所调整的“经营性国有资产”。有的部门建议,将国务院各部门直属事业单位所办企业的国有资产纳入本法的调整范围。有的部门提出,行政事业单位中的经营性国有资产不应属于本法的调整范围,应由其他法律、行政法规调整。

草案第二条中规定,经营性国有资产中的金融类国有资产的管理与监督,法律、行政法规另有规定的,依照其规定。有的部门建议,在“金融类国有资产”后增加“依法实行专卖专营类国有资产”;有的部门建议增加“文化类国有资产”。有的企业建议另行制定金融类国有资产的管理办法。有的部门建议对如何规范金融类国有资产问题再作研究。有的企业建议,明确对金融类国有资产履行出资人职责的机构。

有的部门建议,在草案第二条中增加规定,国防资产的管理与监督依照有关法律、行政法规的规定执行。有的部门建议增加规定,交通基础设施等实行特许经营的公益性国有资产的管理与监督,依照有关法律、行政法规的规定执行。有的地方、部门和企业建议,对境外国有资产的管理与监督作出规定。

(二)关于本法适用的企业范围

有些企业建议明确:国家出资企业出资设立的子企业是否属于履行出资人职责的机构直接监管的范围,履行出资人职责的机构对国有资产转让、企业重大事项的批准是否适用于其直接监管的企业的子企业。有的地方建议,增加对国家出资企业投资设立的子企业的管理规定。有的企业提出,本法的适用范围只应限于国家直接出资设立的企业,国家出资企业投资设立的子企业,应由其母企业依照公司法等法律的规定实施管理。有的部门建议增加规定,履行出资人职责的机构不得对国家出资企业所出资的企业滥用控制权直接干预其经营活动。

有的企业建议,对国家出资企业下属事业单位的资产如何管理作出规定。有的企业建议明确:国家出资企业下属事业单位出资设立企业形成的经营性国有资产是否适用本法。

四、关于国有资产监督管理体制

1. 草案第四条规定,关系国民经济命脉和国家安全的大型国有企业,重要基础设施和重要自然资源等领域的国家出资企业,由国务院代表国家履行出资人职责;其他的国家出资企业,由地方政府代表国家履行出资人职责。有的单位提出,按照这一条的规定,是不是目前由地方政府履行出资人职责的"重要基础设施和重要自然资源等领域的国家出资企业",要改由国务院履行出资人职责,建议明确。有的部门建议增加规定,依法实行专卖专营领域的国家出资企业,由国务院代表国家履行出资人职责。有的企业建议对各级政府如何履行出资人职责作出规定。

有的地方、部门提出,这一条和草案第三条第二款都是关于国务院和地方人民政府履行出资人职责的规定,建议合并。

2. 草案第十条中规定,政府国有资产监督管理机构以及政府授权的其他部门、机构,代表本级政府对国家出资企业履行出资人职责。有些地方、部门和企业提出,这一规定容易造成国有资产多头管理,不利于推进政府社会公共管理职能与国有资产出资人职能分开,不利于集中统一的国有资产管理体制的建立,应规定由一个机构统一履行出资人职责。有的地方建议删去政府可以授权其他部门、机构履行出资人职责的规定。有的企业提出,实践中存在两个机构对同一个国家出资企业履行出资人职责的情况,造成了很多问题,建议对此予以研究。

有的地方提出,履行出资人职责的机构应主要是各级国有资产监督管理机构,少数特殊企业可以由政府授权的其他机构履行出资人职责。有的地方建议明确,暂未进入国有资产监管机构监管范围的国有资产,国务院和地方政府可以授权其他部门或机构履行出资人职责。有的地方建议明确,地方政府未设立国有资产监管机构的,可以授权其他部门或者机构履行出资人职责。有的地方建议,因特殊情况需要由国有资产监管机构以外的其他部门或者机构履行出资人职责的,经国务院或者地方人民政府同意,可以由国有资产监管机构委托该部门或者机构履行出资人职责。有的地方建议明确,除国有资产监管机构以外的其他部门或者机构只是"暂时"履行出资人职责。

有些单位建议明确,履行出资人职责的机构包括代表国家履行出资人职责的企业和企业集团。有的部门建议明确,国有事业单位出资设立的企业由哪个部门或机构履行出资人职责。有的单位建议明确,国务院直属事业单位的经营性国有资产由国务院履行出资人职责。有的部门建议增加规定,国务院和地方政府各部门对本部门所属事业单位出资设立的企业具有监管职责,并可以依据本法制定配套的管理办法。

3. 有些地方、部门和企业建议对国有资产监管机构的性质和定位作出规定。有些单位提出,国资委除履行出资人职能外,还具有哪些行政管理职能,应予明确。有的地方和企业建议规定,履行出资人职责的机构不行使社会公共管理职能,履行社会公共管理职能的政府部门不行使国有资产出资人职责。有些地方、部门和企业建议明确国有资产监管机构的具体职责。

4. 有的地方、企业建议增加规定,上级政府国有资产监管机构对下级政府的国有资产监管工作进行指导和监督。有的地方建议,对国务院履行出资人职责的机构和地方政府履行出资人职责的机构的关系作出规定。有些地方和企业建议,明确国务院国资监管机构对地方政府国资监管机构的监督和业务领导关系。有的地方建议对国资监管机构和政府授权履行出资人职责的其他机构的关系予以明确。

五、关于国有资产基础管理

草案第八条规定,国务院授权履行出资人的机构依法组织国有资产的清产核资、资产评估、资产统计等基础管理工作。有些地方和企业提出,国有资产基础管理工作应由一个部门统一负责,以避免政出多门。有的企业建议,将这一条中的“国务院授权履行出资人的机构”改为“国务院国有资产监督管理机构”。有些地方和部门建议,在这一条中增加地方政府授权履行出资人职责的机构依法组织国有资产基础管理工作的规定。有些地方和部门建议，在这一条中增加国有资产产权登记、产权界定的内容。有的部门建议删去这一条中的“清产核资”。

有的地方、企业提出，国有资产基础管理工作是国有资产管理的重要内容，建议专设一章对国有资产的产权界定、产权登记、产权转让、产权纠纷调处等国有资产基础管理工作作出规定。

六、关于国家出资企业

草案第十五条对国家出资企业的含义作了规定。有的地方建议，对“国有独资企业”、“国有独资公司”、“国有控股公司”、“国有参股公司”分别加以定义。有些企业建议明确“国有独资企业”是否就是指全民所有制企业。有些部门、企业建议明确“国有控股”的标准。有的地方、部门建议，明确国家出资企业是否包括国有独资企业、国有独资公司、国有控股公司和国有参股公司出资设立的子企业。

有的部门提出，国有参股公司与国有独资企业、国有独资公司、国有控股公司在管理上有很大区别，国家出资企业不应包括国有参股公司。

有的企业提出，按照公司法的规定，股东人数较少或者规模较小的有限责任公司，可以不设监事会，只设监事。草案第二十条关于国家出资企业设立监事会的规定与公司法的规定不一致，建议修改。

七、关于国家出资企业管理者

草案第二十二条第一款对履行出资人职责的机构任免或者建议任免的企业管理者的范围作了规定。有的部门提出，按照现行管理体制，部分国家出资企业的主要领导人员由中央和地方党委及其组织部门管理；此外，并非所有国家出资企业的领导人员都由履行出资人职责的机构任免，如部分金融企业由财政部门履行出资人职责，但其领导人员由银监会任免。因此，建议将本条中“履行出资人职责的机构”的表述，修改为“履行出资人职责的机构和相关部门依据管理权限”；并对草案的其他相关条文作相应修改。

草案第二十二条第二款规定，履行出资人职责的机构可以向国有独资公司和国有控股公司董事会提出任免企业高管人员的建议。有些地方、部门、企业提出，按照公司法的规定，国有独资公司的经理、副经理、财务负责人等高级管理人员由董事会聘任，国有控股公司的董事长、副董事长、经理等高级管理人员由董事会选举或者聘任，草案的上述规定会影响公司董事会独立行使职权，建议再作研究。

有的地方、企业建议，对草案第二十三条规定的国家出资企业管理者的任职条件进一步细化。

草案第二十五条第一款规定，国家出资企业的董事、监事、高级管理人员，未经履行出资人职责的机构或者股东会同意，不得在其他企业任职。有些地方、部门、企业建议，将禁止兼职的人员限于履行出资人职责的机构任命或建议任命的董事、监事、高级管理人员。有的部门提出，国有参股公司的董事、监事、高级管理人员不应受上述兼职禁止的限制。有的企业建议，将“不得在其他企业任职”，改为“不得在经营同类业务的其他企业任职”。有的部门提出，董事、监事、高级管理人员在其他企业任职，是由股东会还是董事会决定，应当根据其职务不同依照章程办理。

有的地方、企业提出，按照公司法的规定，经国有资产监督管理机构同意，国有独资公司董事会成员可以兼任经理。草案第二十五条第二款中“国有独资公司的董事长和经理不得由同一人担任”的规定与公司法的规定不一致，建议修改。有的地方、企业建议修改为，国有独资公司的董事长和经理原则上不得由同一人担任。有的部门建议，将草案第二十五条中“履行出资人职责的机构不得建议同一人担任国有控股公司的董事长和经理”的规定，修改为国有控股公司的董事长和经理原则上不得由同一人担任。

草案第二十九条对国有独资企业、国有独资公司和国有控股公司负责人的任期经济责任审计作了规定。有的地方建议，将实行任期经济责任审计的企业负责人限定为履行出资人职责的机构任命或建议任命的企业负责人。有的部门建议增加规定：依法属于审计机关审计监督对象的国有独资企业、国有独资公司和国有控股公司，由审计机关依法对其负责人进行任期经济责任审计。

八、关于关系国有资产出资人权益的重大事项

（一）国家出资企业的重大事项及其决定程序

有些地方、部门、企业建议，在草案第三十条规定的国家出资企业关系出资人权益的重大事项中，增加“赠与、出借、放弃重大财产、重大贷款”。有的企业建议增加“债务重组、业务重组、资产剥离”。有的部门、企业建议增加“企业整体转让”。有的部门建议对这一条中的“重大投资”、“重大财产”作出界定。

有些地方建议，在草案第三十一条规定的国有独资企业、国有独资公司应由履行出资人职责的机构决定的事项中，增加“上市、重大投资和担保”。有的地方、部门、企业提出，应由履行出资人职责的机构决定的重大事项在本条中难以列全，建议增加“等重大事项”作为兜底。有的地方建议增加规定，国有独资企业、国有独资公司对其重要子企业的本条所列事项，应报经履行出资人职责的机构批准。有的部门建议对履行出资人职责的机构决定重大事项的程序作出规定。

有的企业提出，草案第三十二条关于国有独资企业的有关重大事项由企业负责人集体讨论决定的规定，与全民所有制工业企业法规定的厂长（经理）负责制不一致，建议再作研究。

有的部门提出，草案第三十六条对国家出资企业的投资、对外担保、转让财产、捐赠活动的要求，不应适用于国有参股企业。有的地方、企业建议增加规定，国家出资企业投资应履行相应的投资决策程序。有的地方、企业建议，将这一条中“不得为不具备清偿能力的他人提供担保”的规定，修改为“对外担保应当符合法律、行政法规、企业章程的规定”。河南建议增加规定，对外担保不得超过企业注册资本的20%至50%。有的部门建议，对国家出资企业为不具备清偿能力的他人提供担保的行为是否有效作出规定。

有的部门建议增加规定，国家出资企业向董事、监事、高级管理人员及其他职工支付各种形式的薪酬、福利等，应当符合国家统一的收入分配政策及财务规定，在企业合并、分立、改制中，不得向上述人员违规支付经济补偿金，不得以身份置换等名义私分国有财产。

有的地方、部门建议，在草案第三十七条规定的国有独资企业、国有独资公司和国有控股公司应当听取企业工会和职工意见的重大事项中，增加“工资分配方案”、“企业上市”。有的地方、部门建议增加规定，企业合并、分立、改制、解散、破产涉及重新安置企业职工的，职工安置方案须经职代会审议通过。

（二）企业改制

有些地方、部门、企业建议，将国有独资企业改为国有独资公司也作为本法所称的企业改制的一种情形。有的地方提出，企业改制具有较强的阶段性和政策性，其含义也不明确，建议对这一用语再作研究。

有的地方建议在草案第三十九条中明确规定，所有的国有独资企业、国有独资公司、国有控股公司改制为非国有控股公司的，都应报本级政府批准。

有的地方建议在草案第四十条中明确规定，企业改制时，其资产评估和财务审计等中介机构应由履行出资人职责的机构委派或者聘任。

有的部门提出,本条只规定了企业改制方案中的职工安置方案要经职代会或职工大会审议通过,建议将整个改制方案提交职代会或者职工大会审议通过。有的地方建议增加规定,职工安置方案须报履行出资人职责的机构备案。

草案第四十一条中规定,企业改制应当按照规定进行清产核资、财务审计、资产评估,准确界定和核实资产。有的部门提出,实践中清产核资包括财务审计、资产评估、资产核实等环节,建议将这一款中的"清产核资"改为"财产清查",将"界定和核实资产"改为"界定国有资产的权属"。

(三)与关联方的交易

有些地方、部门和企业提出,建议将草案第四十二条中规定的关联方的定义,与公司法、企业会计准则有关规定相衔接。有些企业建议明确这一条规定中的"近亲属"、"所有或者实际控制的企业"的含义。有些地方、部门和企业建议,将与董事、监事和高级管理人员有共同利益关系的人也作为关联方。有些企业建议,将国有企业的非国有股东及其所有或者实际控制的企业规定为关联方。

草案第四十三条规定了禁止与关联方进行的交易。有的部门建议,将这一条中的"非经履行出资人职责的机构同意,不得有下列行为"一句,修改为"不得有下列行为"。有些地方、部门、企业建议,在所列行为中增加"高价购买关联方的资产、商品或服务"。有的地方、企业提出,这一条第四项"与关联方进行其他交易"含义不明确,建议删去;有的部门建议将这一项修改为"与关联方进行可能造成国有资产损失的其他交易"。

草案第四十四条规定,国有控股公司与关联方的交易应由公司股东会或者董事会决定;董事会作出决议时,该交易涉及的董事不得行使表决权。有的地方、部门提出,国有参股公司也应适用这一条规定。有的企业建议删去这一规定。有的企业建议增加规定,上市的国家出资企业在实施与关联方的交易时,还应遵守证券监管机构的规定。

(四)资产评估

有的地方、部门和企业建议,在草案第四十五条规定的应当进行资产评估的事项中,增加"受让他人的非货币资产"、"购买其他企业的股权"、"与非国有单位进行重大资产置换"和"处理重大财产"。有的地方建议对这一条中的"转让重大财产"作出界定。

草案第四十六条规定,国家出资企业应当委托依法设立的符合条件的资产评估机构进行资产评估。有的地方建议,将由企业委托评估机构,改为由国有资产监督机构选择评估机构。有的部门建议,对资产评估机构的资质条件作出规定。有的部门建议删去"符合条件的"几个字。

有的地方和部门提出,草案第四十七条对与资产评估机构串通低估资产价值作了禁止性规定,建议增加不得串通高估资产价值的规定。有的单位建议增加资产评估机构及其工作人员保密义务的规定。

(五)国有资产转让

有的部门、企业建议,将草案第四十九条规定的国有资产转让的定义,修改为"是指依法将国家对企业的出资和由此形成的权益有偿转移给其他单位或者个人的行为"。有的企业建议,将本法所称的国有资产转让限定为向非国有单位或者个人转让,不包括国有单位之间的转让。

草案第五十一条规定,转让国有资产致使国家对国家出资企业不再具有控股地位的,应当报经政府批准。有的企业提出,转让国有资产致使国家对企业的实际控制权发生转移的,也应当报经本级人民政府批准。有的部门建议增加规定,国家出资企业转让所持有的重要子公司的股权,致使其对子企业不再具有控股地位的,应当报经本级政府批准。有的地方建议增加规定,军工资产的转让,应当报国防科工部门批准。

草案第五十二条中规定，除按照国家规定可以直接协议转让的外，国有资产转让应当在依法设立的产权交易场所公开进行。有的企业提出，依照有关法律、行政法规的规定，中外合资经营企业的合营一方转让股权必须取得对方同意，且其他合营方享有优先购买权。建议对国有资产进场公开交易时如何保障外方的优先购买权问题再作研究。有的地方建议增加规定，国有资产未按照规定在产权交易场所公开交易的，交易行为无效。有的地方建议在本条中明确可以直接协议转让国有资产的情形。有的企业建议，对不丧失控股权、金额较小的国有资产转让，可以采取直接协议转让方式。有的企业建议增加规定，经公开征集只产生一个意向受让方的，可以进行协议转让。有的部门提出，目前产权交易所的设立和监管缺乏相应规范，与我国多层次资本市场的关系也不明确，建议对本条中“产权交易场所”的规定再作研究；同时，由于有关法律、行政法规和规章对证券公司等金融机构股东的资格有特殊要求，其股权转让以采用邀请招标方式为宜，建议对本条中“采用拍卖等公开竞价的交易方式”的规定再作研究。

草案第五十三条规定，国有资产转让应当以评估价格为依据，合理确定最低转让价格；在特殊情形下，经批准可以在国家有关规定允许的幅度内适当降低转让价格。有些地方、部门和企业建议，明确最低转让价格的确定方法以及降低转让价格的批准机关和降价幅度。有的部门建议，将批准机关明确为履行出资人职责的机构或者本级政府。有的地方、部门建议规定禁止低于最低转让价格进行转让。

草案第五十四条对转让国有资产涉及转让土地使用权等用益物权时如何办理作了规定。有的地方、部门提出，国有资产转让不涉及用益物权的权利主体变更，建议删去这一条规定。有的地方建议增加规定：转让国有资产涉及转让国有土地使用权的，由履行出资人职责的机构通过产权交易市场进行转让。

草案第五十五条对国有资产向本企业的董事、监事、高级管理人员等利害关系人转让作了规定。有的地方建议增加规定,国有资产向这些利害关系人转让,应经履行出资人职责的机构同意。有的企业建议规定,国有资产不得向本条所规定的利害关系人转让。

草案第五十六条对国有资产向境外投资者转让作了规定。有些部门建议,明确国有资产向境外投资者转让的批准程序、转让方式等。有的地方、部门建议增加规定,国有资产向境外投资者转让,应由履行出资人职责的机构报本级人民政府批准。有的单位提出,国有资产向境外投资者转让,应当允许国内投资者在同等条件参与竞买。

九、关于国有资本经营预算

有的地方、企业建议,明确规定国有资本经营预算收支具体项目、预算管理的职权和程序、国有资本经营预算与政府公共预算的关系。

有的部门建议删去草案第五十七条第二款关于国有资本经营预算收入的收缴和支出应统筹考虑出资人利益和企业自身发展需要的规定。有的地方、企业建议,对国有资本经营预算收入的收缴比例作出规定。

有的部门建议将草案第五十八条修改为,国家向国家出资企业收缴的利润,国有资产转让的收入,国家出资企业清算收入中属于国家的收入和国有资产的其他收入,以及运用国有资本收入的支出,应当编制国有资本经营预算。有的地方建议在这一条中明确国有资本经营预算的支出项目。有的地方建议增加规定,国有资本经营预算的支出主要用于支付国有企业改革成本和资本性支出,推动国有经济布局和结构调整;有的部门建议主要用于社会保障、公共事业和公共服务。

有的地方、企业提出,按照公司法规定,公司章程可以规定不按照出资比例向出资人分配利润。因此,建议删去草案第五十九条中"按照出资比例"分配利润的规定。有的部门、企业提出,国家出资企业向国有资本分配的利润都应当及时、足额上缴财政。建议将这一条中的"按照国家规定应当上缴财政的"一句删去。

草案第六十一条规定,财政部门负责国有资本经营预算草案的具体编制工作,履行出资人职责的机构向财政部门提出国有资本经营预算建议草案。有的地方建议改为由财政部门会同履行出资人职责的机构负责国有资本经营预算草案的具体编制工作。有的地方建议改为由履行出资人职责的机构负责预算草案的具体编制工作。有的部门建议由发展改革部门提出国有资本经营预算建议草案。

有的部门建议,删去草案第六十条中关于国有资本经营预算按年度单独编制的规定。

十、关于国有资产监督

有的单位建议增加规定,国务院国有资产监督管理机构在每年全国人民代表大会期间向全国人大提交工作报告。

有的部门建议增加国务院对地方政府代表国家履行出资人职责的情况进行监督的规定。

草案第六十七条对委托会计师事务所对企业年度财务会计报告进行审计作了规定。有的企业建议,将其中的"可以委托审计"改为"应当委托审计"。有的部门建议增加审计机关可以依法对审计报告进行核查的规定。财政部建议删去这一条。

有的部门建议增加规定,财政部门依法对履行出资人职责的机构和国家出资企业执行国有资本经营预算、财务会计制度的情况进行监督。

十一、关于法律责任

草案第六十八条规定了履行出资人职责的机构不依法履行职责的法律责任。有的地方、部门建议,对履行出资人职责的机构违反草案第十三条的规定干预企业经营活动的行为增加法律责任的规定。

有的地方、部门建议,在草案第六十九条中增加规定,履行国有资产监督管理职责的部门、机构的工作人员玩忽职守、滥用职权、徇私舞弊,给国有资产造成损失的,应当依法承担赔偿责任。

有些地方、部门、企业建议,在草案第七十一条中增加规定,关联方利用与国家出资企业之间的交易谋取不正当利益的,交易行为无效,并应返还财产。

有的部门提出,国家出资企业的董事、监事、高级管理人员有草案第七十二条所列违法行为的,除依法承担赔偿责任外,还应当返还所获得的不当利益。建议增加这方面的规定。

草案第七十三条规定,因故意犯罪被判处刑罚的,终身不得担任国有独资企业、国有独资公司、国有控股公司的董事、监事、高级管理人员。有的企业提出,这一规定过于严厉,建议适当放宽。有的地方、企业建议参照公司法的有关规定,将其中的“故意犯罪”修改为“贪污、贿赂、侵占财产、挪用财产或者破坏社会主义市场经济秩序”等犯罪。

有的地方、部门建议,赋予履行出资人职责的机构以股东身份对造成国有资产损失的单位和个人提起诉讼的权利。

十二、其他意见

1. 有的部门建议在草案第一条关于立法目的的规定中,增加“实现国有资产保值增值”;有的部门、企业建议增加“根据宪法”制定本法。

2. 有的地方建议,将草案第二条第一款修改为“本法适用于经营性国有资产的监督和管理”。

3. 有的部门建议，在草案第三条中增加规定，国务院对所有国有资产享有最终处置权。

4. 有的部门建议，将草案第六条中的“增强国有经济的控制力”，修改为“增强国有经济活力、控制力、影响力”。

5. 有的地方建议，将草案第十二条中的“股东会”、“股东大会”，修改为“股东会会议”、“股东大会会议”。

6. 有的企业提出，依照有关法律规定，国家出资企业中的中外合资经营企业、中外合作经营企业是不设股东会的，董事会或者联合管理机构是企业的最高权力机构，履行出资人职责的机构是通过委派代表参加董事会或者联合管理机构来行使股东权利的。建议在草案第十二条中增加这方面的规定。

7. 有的部门建议增加规定，上市公司国有股东、实际控制人及其工作人员，应当依法履行并配合上市公司履行信息披露义务，不得泄露内幕信息，不得从事内幕交易。

部分中央和地方国有企业对国有资产法(草案)的意见

法工委于1月中旬召开座谈会,分别听取部分中央和地方国有企业对国有资产法(草案)的意见。参加会议的同志认为,制定国有资产法,对维护国有资产权益,防止国有资产流失,促进国有经济的巩固和发展,具有重要意义。草案总体上体现了中央确定的国有资产管理体制改革方向,反映了国有企业改革的成功经验,针对性较强,基本可行;建议进一步修改后尽快出台。同时,提出以下主要修改意见:

一、关于本法的名称和适用范围

1.关于本法的名称

有的同志提出,本法的名称与规范的内容不一致。本法所称的经营性国有资产,实际上就是国家出资企业的国有股权。建议将本法的名称改为"国有股权法"。有的同志建议,改为"经营性国有资产法"。

2.关于本法的适用范围

有的同志建议,将事业单位的经营性国有资产也纳入本法的适用范围。

有的同志提出,草案第二条关于"经营性国有资产"、"行政事业性、资源性国有资产"的分类不科学。经营性资产是从功能上划分的,而行政事业性资产是以占有主体划分的。建议将草案第二条修改为："本法适用于国家对企业的出资和由此形成的权益。其他国有资产的管理与监督，依照有关法律、行政法规的规定执行。"

关于本法是否适用于国家出资企业投资设立的子企业的问题，参加座谈会的企业有不同意见。有些的同志提出，草案规范的对象只是国家出资企业，而目前的国家出资企业很多是集团公司，经营活动主要发生在国家出资企业投资设立的子企业，发生国有资产流失的也主要是在这些子企业。实践中，一些地方的国有资产监管机构对国家出资企业的子企业也进行监管。如北京市国资委规定，国家出资企业出资设立的重要的全资子企业、持股50%以上的子公司或通过其他方式能够对其实施有效控制的企业，其重大投资、向境外投资、从事证券等高风险业务等企业重大事项，均须经北京市国资委审核同意后方能实施。建议在草案第三十条"国家出资企业"后加"及其投资的子企业"，以解决子企业适用本法第五章规定的问题。有些同志则认为，履行出资人职责的机构主要负责决定国家出资企业的重大事项，国家出资企业的各级子企业的重大事项，应由国家出资企业依照公司法等法律和企业章程决定，应一级对一级负责。如果确有特殊事项需要由履行出资人职责的机构决定的，应当在法律中予以明确。

二、关于国有资产管理体制

有些同志建议，在本法中明确规定，由政府国有资产监督管理机构统一履行国有资产出资人职责，政府其他部门、机构不履行出资人职责。有的同志提出，实践中除了政府国有资产监管机构履行国有资产出资人职责外，还有其他一些部门对国家出资企业履行出资人职责，如电视、广播、报纸等文化企业就是由宣传部门和财政部门履行出资人职责。草案规定的履行出资人职责的机构不应只指各级国有资产监督管理机构。

草案第四条规定，关系国民经济命脉和国家安全的大型国家出资企业，重要基础设施和重要自然资源等领域的国家出资企业，由国务院代表国家履行出资人职责；其他的国家出资企业，由地方政府代表国家履行出资人职责。有些同志提出，这一规定与实际情况不完全相符。地方政府履行出资人职责的企业中，也有“关系国民经济命脉和国家安全”，或属于“重要基础设施和重要自然资源等领域”的企业。例如，钢铁企业中的宝钢由国务院履行出资人职责，而首钢则由地方政府履行出资人职责。不能说宝钢才是“关系国民经济命脉和国家安全”的企业，而首钢就不是。

有些同志提出，经营性国有资产的清产核资、资产评估、资产统计、产权登记等基础管理工作，属于履行出资人职责的重要内容，建议充实完善这方面的规定，并明确由国有资产监督管理机构负责国有资产的基础管理工作。

三、关于国家出资企业

有的公司的同志提出，草案第三章关于国家出资企业的规定，很多属于对一般企业的普遍要求，这些在公司法、会计法等法律中都已经有规定，建议本法对此不作规定。

有些同志建议，对草案第十五条将国家参股企业也作为国家出资企业的规定再作研究。因为实践中对参股企业的监管与国家独资、控股企业有很大不同。例如，草案第二十八条关于国家出资企业管理者经营业绩考核的规定，就不应适用于国有参股企业。

有的同志提出，草案第二十条关于国有公司设监事会的规定与公司法的规定不一致。按照公司法的规定，有限责任公司可以设监事会，也可以不设监事会，只设监事。建议对第二十条做相应修改。

四、关于国家出资企业的管理者

草案第二十五条规定:“国家出资企业的董事、监事、高级管理人员,未经履行出资人职责的机构或者股东会同意,不得在其他企业任职”;“国有独资公司的董事长和经理不得由同一人担任”。有些同志提出,这一规定与现实情况有较大差距。目前不少国家出资企业都由董事长兼任总经理,董事、监事和高管在其他企业兼职的现象也不少见。如果企业之间不存在竞争关系,通常是不禁止兼职的。建议对此规定得灵活一些。有的同志则认为,国有独资公司的董事长和经理不得由同一人担任的规定,很有必要,是一个创新,有利于形成权责明确、制衡有效的管理机制,有利于解决因权力过于集中造成滥用的问题。

有的同志建议,对草案第二十八条规定的对国家出资企业管理者实行“考核制度”和确定“薪酬标准”的具体内容和适用范围予以明确。

五、关于关系国有资产出资人权益的重大事项

有的同志提出,草案第三十八条关于企业改制的定义中,不包括将国有独资企业改制为国有独资公司的情况。虽然这种改制不发生国有产权的变动,一般不发生国有资产流失的问题,但这也属于企业改制的一种类型。是否也应纳入企业改制的定义中,建议再作研究。有的同志建议,在草案第四十条中增加企业改制方案应当经职工代表大会或者职工大会通过的规定。有的同志则认为,只有企业改制方案中的职工安置方案才需要职工代表大会或者职工大会通过。

有些同志提出,草案第四十二条关于关联方的定义与公司法关于关联关系的定义不一致,建议协调。有的同志建议增加关于国家出资企业与关联方交易时应进行信息披露的规定。

草案第五十五条规定,国有资产向本企业的董事、监事、高级管理

人员等关联方转让的，相关的董事、监事、高级管理人员不得参与转让方案的制定和组织实施工作。有的同志提出，企业改制经常会涉及国有资产的转让，也包括向董事等企业管理人员转让，而改制方案的制定离不开企业高级管理人员的参与。草案的上述规定操作起来有困难，建议再作研究。有的同志建议，应对国有资产向企业经营管理者转让的情况予以公开，这样可以更好地起到监督作用。

有的同志提出，草案对转让国有资产应遵守的规则作了规定。处分国有资产的形式除了转让外，还有抵押、信托、承包等形式。建议对以其他形式处分国有资产的行为也作必要的规定。

六、关于法律责任

有的同志提出，草案第七十条关于履行出资人职责的机构委派的股东代表未按照指示履行职责，造成国有资产损失的，应当承担赔偿责任的规定，缺乏可行性。有的同志提出，股东代表不依法履行职责，无论是否造成国有资产损失，都应承担责任。因此建议删去该条中“给国有资产造成损失的”一句。

有的同志建议，在草案第七十一条中增加规定：对国家出资企业的关联方通过与国家出资企业之间的交易谋取的不正当利益，应予收缴。

有的同志建议，在草案第七十二条规定的企业负责人违法行为的法律责任中，增加“没收非法收入”的规定。

有的同志提出，草案第七十三条关于国家出资企业的董事、监事、高级管理人员因故意犯罪被判处刑罚的，终身不得担任国家出资企业的董事、监事、高级管理人员的规定，过于严厉。建议对适用这一规定的犯罪类型加以限定。

有的同志建议，增加规定有关国家出资企业通过“假破产”来转移资产的法律责任。

七、其他修改意见

1. 有的同志提出，按照公司法的规定，公司经全体股东同意可以不按照出资比例分配利润，草案第五十九条关于国家出资企业应当依照法律、行政法规以及企业章程的规定，按照出资比例向出资人分配利润的规定和公司法的规定不一致，建议衔接。

2. 有的同志提出，目前国有资产监督管理部门对企业管得过细。应充分尊重企业的经营自主权，企业日常经营活动如经营过程中的核减资本等，不一定都要国资监管机构批准。

3. 有的同志提出，制定规范的企业章程对于防止国有资产流失，维护出资人权益很重要。建议增加规范企业章程制定的规定。

4. 有些同志建议，增加关于国家出资企业建立法律顾问制度的规定。

部分专家对
国有资产法(草案)的意见

法工委于3月17日召开座谈会,就国有资产法(草案)的有关问题听取部分经济专家和法律专家的意见。参加座谈的专家认为,草案总体上体现了中央确定的国有资产管理体制改革方向,针对性较强,适用范围符合实际,规定基本可行。有的专家认为,目前国有资产管理体制改革正在进行,有些问题还需要在实践中进一步探索,制定一部内容比较全面的国有资产法,条件还不成熟;但先就普遍关注的维护国有资产权益、防止国有资产流失的主要问题作出规定,作为阶段性的立法,还是可行的。专家们还提出以下主要意见:

一、关于经营性国有资产的界定

草案第二条规定,本法所称经营性国有资产,是指国家对企业的出资和由此形成的权益。

有的专家认为,这一定义似不够全面。经营性国有资产不仅包括国家对企业出资形成的权益,还应包括"依法属于国家所有的其他权益",如国家拨付给企业的不作为投资的专项拨款等不列入所有者权益但由企业管理使用的具有权益性质的资金。

参加座谈的其他专家认为,草案关于经营性国有资产的定义基本上是恰当的。企业全部财产对应的来源只有两部分:一是企业的负债,二是所有者权益。所有者权益既包括出资人对企业的出资所形成的企业实收资本,也包括由资本溢价、接受捐赠等形成的资本公积,以及从企业利润中提取的盈余公积和企业的未分配利润。所有者权益全部归企业出资人享有,是因出资人对企业的出资所形成的权益。出资人依此权益对企业享有资产收益、参与重大事项决策和选择企业管理者的权利。国家对企业的投入,包括国家对企业的专项拨款等,如果不转增企业的国有资本金,也不计入资本公积等所有者权益,则只能按照企业会计制度的规定,以企业预收款等形式,作为企业对国家的负债,国家对此享有的是债权人的权利,不是出资人的权益。而债权是由合同法等法律规范和保护的,国有资产法应当规范和保护的是国家作为企业出资人的权益。原则赞成草案关于经营性国有资产定义的规定,但文字表述应再推敲得更准确一些。

二、关于本法适用的企业范围

草案第十五条规定,本法所称国家出资企业,是指国家出资设立的国有独资企业、国有独资公司,以及国有资本控股和参股的公司。

有的专家提出,按照上述规定,本法只适用于国家直接出资的企业,不适用于这些企业出资设立的子企业。但国家直接出资的企业特别是中央企业大多是集团公司,本身并不直接从事实业经营,直接从事经营活动的是其下属的子企业,企业的主要资产特别是优质资产也主要集中在子企业,实践中容易发生国有资产流失的企业改制、与关联方交易、产权转让等活动也多发生在这些子企业。如果本法对国家出资企业的子企业不适用,草案有关保障国有资产安全、防止国有资产流失的有关规定就缺乏针对性,实际作用会打折扣。建议将本法的适用范围扩大到国家出资企业的子企业。

有的专家提出,国家只对其直接出资的企业享有出资人权益,并由政府履行出资人职责的机构代表国家行使资产收益、参与重大事项决策和选择企业管理者的权利。对国家出资企业出资设立的子企业，应由国家出资企业对其行使出资人权利。政府履行出资人职责的机构可以通过规范国家出资企业对其子企业依法行使股东权利，来达到规范有关子企业行为的目的，但不应由履行出资人职责的机构直接对国家出资企业的子企业的重大事项作出决定，应当是一级管一级，一级对一级负责。只要管好国家直接出资的企业，就可以管住有关子企业。本法可只调整履行出资人职责的机构与国家直接出资企业之间的关系，不宜把国家出资企业的子企业也纳入本法的调整范围。

有些专家提出，从实际情况看，规范国家直接出资企业的重要子企业的行为，对于保障国有资产权益，防止国有资产流失，是必要的。考虑到政府履行出资人职责的机构只是国家直接出资企业的出资人代表，草案关于由政府履行出资人职责的机构以国有股权代表的身份对企业重大事项行使的决定、批准等权利，应只适用于国家直接出资企业。但草案为维护国有资产权益所规定的有关企业改制、产权转让、与关联方交易和资产评估等重大事项应当遵守的基本行为规则，也应适用于国家出资企业的独资或控股的子企业。至于具体表述如何处理得比较适当，还可再作进一步研究。

三、其他意见

1. 草案第二十五条规定，国有独资公司的董事长和经理不得由同一人担任，履行出资人职责的机构不得建议同一人担任国有控股公司的董事长和经理。有的专家提出，建议将这一规定的适用范围扩大到国有参股公司，以形成权责明确、制衡有效的企业法人治理结构，解决国家出资企业因权力过于集中而产生滥用的问题。有的专家提出，对国有控股公司和国有参股公司适用这一规定，是否过于严格，建议再作研究。

2. 草案第四十二条规定，本法所称关联方，是指企业的"董事、监事、高级管理人员及其近亲属"，以及这些人员所有或者实际控制的企业。有的专家建议，为从严控制国家出资企业与关联方的交易，防止产生弊端，建议将"关联方"的范围扩大到与国家出资企业的董事、监事、高级管理人员"具有其他利害关系"的人员。

3. 有的专家建议增加规定，国家出资企业违反本法规定所进行的交易行为无效。有的专家提出，笼统规定违反本法规定的交易行为都无效，可能影响交易安全和交易效率，还可能损害善意的交易相对人和其他利害关系人的利益，建议再作研究。

国务院国资委和部分地方国资委对国有资产法(草案)的意见

2008 年 1 月上旬和下旬,法工委分别召开座谈会,听取国务院国资委和 7 个省以及深圳市国资委对国有资产法(草案)的意见,进一步了解国有资产监管的有关情况。参加座谈的同志认为,草案对本法适用范围的规定比较切合实际,立法重点把握恰当,维护国有资产安全、防范国有资产流失的立法意图体现较为充分,相关制度规定基本可行;同时,也提出了一些修改意见。现将主要意见简报如下:

一、关于本法的适用范围

(一)关于对经营性国有资产的界定

有的同志认为,草案第二条将适用本法的国有资产范围限定为经营性国有资产,是恰当的;但该条将经营性国有资产界定为“国家对企业的出资和由此形成的权益”的规定,应再作研究。经营性国有资产除了国家对企业的出资和由此形成的权益外,还应包括依法属于国家所有的其他权益。例如,不列入企业所有者权益,但由企业管理使用的具有权益性质的国有资金(如国有独资企业计提的工效挂钩工资中不属于欠发部分的结余、国家对企业的不作为投资的专项拨款)等。建议在经营性国有资产的定义中增加“依法属于国家所有的其他权益”。

有的同志提出,草案规定的本法适用范围仅限于经营性国有资产,与国有资产法的名称不符,建议再作研究。有的同志提出,有些地方在实践中已将经营性和非经营性的国有资产整合在一起进行监管。建议本法以广义上的国有资产作为调整对象,为国资监管实践留下探索空间。有的同志建议,在本法中对行政事业性和资源性国有资产的监管作出原则规定。

(二)关于本法适用的企业范围

有的同志提出,按照草案第二条关于本法所称经营性国有资产"是指国家对企业的出资和由此形成的权益"的规定,以及第十五条关于"本法所称国家出资企业,是指国家出资设立的国有独资企业、国有独资公司,以及国有资本控股和参股的公司"的规定,本法只适用于国家直接出资设立的企业(一级企业),不适用于由国家直接出资的企业再投资设立的子企业(二级企业),更不适用于三级以下的子企业。从国资委对经营性国有资产履行出资人职责的监管实践看,对草案的上述规定还应再作研究。

有的同志介绍说,目前国资委对涉及国有资产权益事项的监管,有以下两类情况:

一是有些事项只管到一级企业。主要是:(1)对企业负责人的管理。国资委只负责任免或者推荐任免一级企业的负责人,二级以下子企业负责人的任免,执行公司法的规定。国务院国资委履行出资人职责的150户中央企业中,有54户企业的正职负责人由中央组织部管理,副职由国资委管理;其余企业的正副职负责人都由国资委管理。对企业负责人薪酬标准的确定和考核,国资委也只管到一级企业。有的同志认为,出资人对企业负责人的管理,只能管到一级;如果二级以下的子企业负责人也由母企业的出资者直接管理,一是与公司法的规定不符,二是子企业的负责人不对其母企业负责,母企业也无法对子企业进行监管。(2)资产评估。一级企业由国资委组织评估,二级以下企业由决定该项经济行为的企业组织评估。

二是有些事项延伸监管到二级以下企业。主要是：(1)对企业财务的监管。国资委要求一级企业(企业集团)对整个集团的经营业绩负责，国资委主要通过企业集团编报合并财务报表，同时附报二级和三级企业的有关财务数据，了解掌握企业集团整体财务状况。但国资委可以定期对部分重要子企业进行财务抽查及经济责任审计。(2)对企业重大事项的监管。国资委除了对一级企业的合并、分立、改制、重大投资、产权转让等涉及出资人权益的重大事项进行监管外，对重要的二、三级企业的一些涉及出资人权益重大事项，也进行监管。按照《企业国有资产监督管理暂行条例》的规定，国家出资企业设立的“重要子企业的重大事项”，需要由国家出资企业报国资监管机构批准的，管理办法由国资监管机构另行制定，报国务院批准。目前这个办法还没有制定出来，如何认定“重要子企业”和“重大事项”，还缺乏统一标准。建议在国有资产法中对此作出规定。(3)有关国有资产基础管理。在产权界定、产权登记、清产核资、资产统计等方面，都延伸到一级企业独资或控股的二级子企业，以及这类二级子企业独资或绝对控股的三级子企业。例如在产权登记方面，目前的做法是，国有独资或控股的企业设立的独资或控股的二级子企业，以及这类二级子企业独资或绝对控股的三级子企业，在统计上仍作为国有企业，相关的产权仍登记为国有产权。

有的同志提出，对本法是否适用于国家出资企业的子企业，不应一概而论。对草案第五章规定的涉及出资人权益的重大事项，应当适用于二级和三级子企业。因为经过国有经济布局和结构调整以及企业重组，许多国家直接出资的一级企业，特别是中央企业，都已成为集团总部，本身并不直接从事经营活动。直接从事经营活动的主要是二级以下的子企业，企业的主要资产特别是优质资产主要集中在子企业，企业的利润主要来自子企业，企业改制、与关联方交易、产权转让、利润分配等容易引起国有资产流失的情况也主要发生在子企业而基本不发生在一级企业。如大庆油田有限责任公司现在只是中石油集团公司控股的二级子企业中石油股份公司所属的三级子企业。还有一些国有企业整体重组上市后，绝大部分资产进入上市公司，留下一个仅有少数管理人员的“壳公司”作为国有股权的持股公司，“壳公司”成为一级企业，上市公司则成为二级子企业。如果本法仅适用于国家直接出资的一级企业，草案第五章的规定就缺乏针对性，本法保证国有资产安全、防止国有资产流失的作用就会大打折扣。湖北省和江西省有的同志也认为，国资监管机构对国家出资企业的重要子企业的监管，是防止国有资产流失的重要环节，很有必要。有的同志则认为，国资监管机构是否可以直接对国家出资企业再出资的子企业直接进行监管，建议慎重研究。本法可以规定有关企业改制、产权转让、资产评估等重大事项的基本要求；对子企业的监管，则应由作为出资人的企业按照公司法和公司章程有关股东权利的规定办。

有的同志认为，目前国资委对国有参股企业只是进行国有股权的登记管理。鉴于国有资本对国有参股企业不具有控制权，将有关国家出资企业的规定过多地适用于参股企业，既不具有可操作性，还可能影响其他资本与国有资本的合作。建议对本法是否适用于国有资本参股企业再作研究。

二、关于国有资产管理体制

有的同志提出，按照草案第十条及其他有关条款的规定，除政府国有资产监督管理机构外，政府还可以授权“其他部门、机构”代表本级人民政府履行出资人职责。这一规定，没有充分体现中央提出的国资监管体制改革应当坚持的“政企分开，政府公共管理职能和国有资产出资人职能分开，所有权与经营权分离”的原则，可能会动摇目前已按照《企业国有资产监督管理暂行条例》关于“国有资产监督管理机构不行使政府的社会公共管理职能，政府其他机构、部门不履行企业国有资产出资人职责”的规定初步建立起来的国有资产监管体制，可能会造成经营性国有资产由多个部门分散监管，政策不统一，权责不明确的旧体制复归，不利于国有资产的统一监管。建议对草案关于国有资产监督管理体制和履行出资人职责的机构的规定再作研究，明确由国有资产监管机构代表本级政府统一履行国有资产出资人职责。即使考虑到实际中有一些特定行业的经营性国有资产要由国资委以外的其他部门监管，也应作为例外规定，不宜与国有资产监督管理机构并列。

有的同志建议，本法授权经济特区可以通过制定特区法规，实行有别于中央的国有资产监管体制，为进一步完善对国有资产的监管探索道路。

三、关于国有资产基础管理

有的同志提出，按照国务院的规定，国资委负责组织管理经营性国有资产的产权界定、产权登记、资产评估、清产核资、资产统计、绩效评价和产权纠纷调处等基础管理工作。国资委对经营性国有资产的基础管理，是基于国有资产出资人对国家出资企业的出资关系形成的，是行使出资人权能的重要内容，是出资人代表机构全面掌握和了解国有资产状况，对国有资产实施有效监管的基础。目前，在国有资产基础管理方面存在的主要问题是，多部门负责国有资产的基础管理，导致国有资产基础管理的制度和标准不统一，管理事项难以落实。他们提出，按照草案第八条和其他有关条款的规定，可以有多个履行出资人职责的机构负责国有资产的基础管理，这不利于改变国有资产基础管理政出多门的现象，不利于国有资产基础管理制度的统一制定和有效实施。建议明确由国务院国资委统一负责国有资产基础管理，统一制定国有资产基础管理规范。

四、关于国家出资企业管理者的选择与考核

有的同志提出，草案第二十二条中关于履行出资人职责的机构可以向控股公司提出任免公司高级管理人员的建议的规定，与公司法规定不一致。按照公司法的规定，经理、副经理、财务负责人等高级管理人员由董事会决定，监事会主席由监事选举。建议删去上述规定，或者修改为履行出资人职责的机构可以提出任免董事长、副董事长的建议。

有些地方有的同志提出，草案第二十五条中关于国有独资公司的董事长和经理不得由同一人担任的规定，与公司法的规定不一致；同时，国有企业的差别很大，情况较复杂，现实中兼职的情况较多，不宜规定过死。建议删去这一规定。

草案第二十九条规定，履行出资人职责的机构对国有控股公司负责人依法组织进行任期经济责任审计。有的同志提出，考虑到国有控股公司的负责人不排除有非国有股东推荐聘任的情况，不宜笼统规定由履行出资人职责的机构对国有控股公司的负责人进行任期经济责任审计。建议改为履行出资人职责的机构"对其任命或者建议任命的国有控股公司负责人依法组织进行任期经济责任审计"。

此外，有的同志提出，草案第二十条只对公司制企业的监事会作了规定。考虑到目前还有不少未实行公司制的重要国有企业，对这部分企业仍应按现行的外派监事会制度进行监督。因此，建议增加规定："国有独资企业由履行出资人职责的机构代表本级人民政府派出监事会，监事会依照有关行政法规履行职权"。

五、关于关系国有资产出资人权益的重大事项

有的同志提出，为他人提供担保是企业的重大事项，也是企业风险

的主要来源。建议本法对担保问题单列一条，一是规定国家出资企业为他人提供担保的，应当按照公司章程的规定，经董事会或者股东会决议；二是规定国有独资企业、国有独资公司对外提供担保的，应当经履行出资人职责的机构批准。同时删去不得为不具备清偿能力的他人提供担保，因为是否有清偿能力事先较难判断。

草案第五十三条规定，竞价交易的竞买报价低于最低转让价格的，“经批准”，可以在国家有关规定允许的幅度内适当降低转让价格。有的同志提出，事实上，国资委对这种情况不能承担批准的责任，因为风险太大。目前国资委只是对评估机构的选定和评估程序进行核准。建议对上述规定加以修改。

草案第三十四条规定，国有独资企业、独资公司“增加或者减少注册资本”，应当由履行出资人职责的机构事先报经本级政府批准。有的同志提出，企业增加或者减少注册资本的情况在实际中常有发生，都要事先报批不可行。建议删去这一规定。

有的同志建议，将草案第三十二条关于国有独资企业的重大事项依照章程的规定由企业负责人集体讨论决定的规定，改为“由经理办公会议集体讨论决定”。

六、关于国有资本经营预算

有的同志提出，国有资本经营收益是基于国有资本出资人权益而取得的收益，其与一般财政收入在来源、用途和目的方面都有不同。国有资产监管机构代表政府履行出资人职责，在国有资本经营预算中应当有相对独立的权限。国有资本经营收益的收取和使用的管理应当以国有资产监督管理机构为主。建议对草案关于国有资本经营预算的规定作相应修改。

国有资产法(草案)云南调研情况简报

2008年1月下旬,法工委经济法室和研究室组成的国有资产法(草案)调研组赴云南调研,了解云南省国有资产管理的情况,听取地方有关部门和企业对国有资产法(草案)的意见。现将了解的情况和意见简报如下:

一、云南省国有资产管理的有关情况

(一)国有资产监督管理体制的有关情况

按照党的十六大精神和《企业国有资产监督管理暂行条例》的规定,云南省政府于2004年2月设立国资委,分两批授权国资委对39家省属企业履行出资人职责。经过改制、重组,目前由省国资委履行出资人职责的企业已减为20家。根据政府授权,云南省国资委履行出资人职责的企业主要是工业和商贸行业的省属企业,也包括一家地方金融机构——富滇银行(但该银行的正职负责人由省委任免,副职由银监局任免)。对于其他行业的省属企业,政府没有授权由国资委统一履行出资人职责,仍按原体制由有关主管部门负责管理。如公路投资公司、农业投资公司、水电投资公司、监狱系统企业等,分别由省交通厅、农业厅、水利厅和司法局管理。还有一些原由有关部门管理的企业,如商务厅所属6家企业,商务厅要求交由省国资委管理,但由于企业负债严重，改制困难，省国资委不予接收，目前仍由商务厅管理。省属文化产业如云南省出版集团公司，依照财政部等部门的规定，其资产由省财政厅管理，公司负责人的任免和公司业务分别由省委宣传部和政府新闻出版部门管理。云南省级行政事业单位设立的经营性机构的资产，包括宾馆、培训中心等，由省财政厅负责管理。

云南省的州（市）一级政府中，只有昆明市于2004年设立了作为政府独立机构的国资委，编制88人，目前共有工作人员60多人，与省级国资管理情况有所不同，昆明市政府授权市国资委对工业、商贸、交通、文化等行业的32家市属企业统一履行出资人职责。其他的州（市）在财政局下设国资委或国资局（国资办），为财政局下的二级局，主要负责人由财政局副局长兼任，对州（市）所属国有企业履行出资人职责。

云南省的县（区）一级政府大多没有单独设立国有资产监管机构，国有资产监管工作由县（区）财政局负责。有少数县（区）在财政局下设国资局或国资办，主要负责人由财政局副局长兼任。如昆明市14个县（区）中，只有2个县（区）在财政局设立了国资监管机构；大理州和丽江市所属的县（区）都没有设立国资监管机构。

经过改革、调整，云南省州（市）一级所属的国有企业数量已不多，县（区）更少，相对来说，行政事业性国有资产较多。大理州所属国有企业只保留了公共汽车公司、自来水公司、粮食储备库和国有资产投资公司4家；丽江市所属国有和国有控股企业只有电力公司、开发投资公司、旅游开发投资公司、玉龙雪山旅游股份有限公司等几家，净资产约为2亿元，而行政事业性资产约有50亿元。大理市（县级市）由政府控股的竞争性企业只有2家，政府出资额为1.8亿元；丽江市玉龙县的国有企业只有粮食公司、开发投资公司和电厂等几家，都是非盈利性企业；该县的自来水公司和公交公司也都已经改制为民营企业。除昆明市外，其他州（市）和县（区）一级的经营性国有资产和行政事业性国有资产全部由财政局或者财政局下设的国资局负责监管。

(二)国资监管机构履行出资人职责的主要事项

省和昆明市有关部门的同志说,省国资委和昆明市国资委依照公司法、《企业国有资产监督管理暂行条例》等法律、行政法规和国务院国资委的规定,已建立起比较规范的履行出资人职责的制度。在企业负责人管理方面,部分重点企业的董事长和党委书记由省、市委组织部门管理,其他企业的领导班子成员由国资委任免。国资委通过与企业负责人签订年度和任期经营目标责任书,根据国务院国资委和本级政府国资委制定的经营业绩考核办法,对企业负责人的经营业绩进行考核,并根据考核结果和事先确定的薪酬标准决定其报酬和奖惩。在企业重大事项管理方面,企业的战略规划、重大投资、重大资产转让、对外担保、修改企业章程、增加或减少注册资本、企业合并、分立、解散、变更企业形式、发行债券、分配利润等重大事项,由企业按照规定报国资委决定或者备案。重要国有企业的合并、分立、解散、改制、申请破产等事项,由国资委审核后,报本级人民政府批准。在国有资产基础管理方面,主要进行资产评估、产权登记、资产统计和分析评价等工作。大理州和丽江市由于经营性国有资产不多,国资局配备的人员较少,州、市所属企业负责人的任免和重大事项主要由州、市政府决定,国资局只起协助作用。在县(区)一级,作为国资监管部门的财政局主要对国有资产进行登记和统计,对国有企业财务进行监督,企业负责人和重大事项也主要由政府决定。

云南省、州(市)、县(区)各级政府一般都设有国有资产经营公司,在国资委(局)成立前,政府授权其对部分企业履行出资人职责。一些地方的同志提出,国有资产经营公司主要从事资本经营,与其他国有企业并无本质区别,国资委(局)成立后,应当由国资委(局)代表政府对其履行出资人职责。

实践中，有国资委直接登记为公司股东的情况。比如，云南变压器电气股份有限公司（昆明市属企业），昆明市国资委持股 25%，并直接登记为股东。该市有的同志认为，国资委直接登记为股东，与企业之间的权利、义务比较明确，其履行出资人职责的做法比较规范。应由股东大会决定的事项，如超过公司净资产额 20% 的对外担保、超过公司净资产额 15% 的投资等，公司章程都有明确规定。召开股东大会前，公司与国资委事先沟通；召开股东大会时，国资委委派工作人员作为股东代表，代表国资委行使表决权。公司依股东会决议向国资委和其他股东分配利润。

（三）国资监管机构对其履行出资人职责的企业的子企业的监管

云南省国资监管机构对其履行出资人职责的企业的子企业的监管，主要体现在两个方面：一是子企业的产权界定和产权登记等事项；二是重要子企业的重大投资、产权转让等，需报国资监管机构审批或者备案。一些企业提出，由于国务院国资委对哪些"重要子企业"的哪些"重大事项"应报国资委审批或备案没有明确界定，实践中难以操作；同时，国资监管机构也不是其履行出资人职责的企业的子企业的出资人。因此，国资监管机构不应对其履行出资人职责的企业的子企业实施监管。由于子企业的经营状况在其母企业的各类报表中都有体现，国资监管机构只需管好其履行出资人职责的母企业就可以了，子企业由母企业负责监管。如果子企业发生资产流失，说明国资监管机构对其履行出资人职责的企业没有管好。

二、对国有资产法（草案）的主要意见和建议

参加座谈的省、市、州、县有关部门和企业的同志普遍认为，制定国有资产法，对加强和规范对国有资产的监督管理，保护国有资产权益，防止国有资产流失，促进国有资产保值增值，十分必要。有些同志提

出，近年来，国有企业改革和结构性调整的力度很大，有不少地方国有企业通过改制、拍卖等多种方式退出，其中存在一些不规范的做法，国有资产流失的情况比较严重，本法要是早几年出台就更好了。草案的总体思路和立法重点把握得好，内容基本可行，应尽快出台。同时，提出以下主要意见：

（一）关于本法的名称和适用范围

一些部门、企业提出，本法名称为国有资产法，但只适用于经营性国有资产，二者不协调。建议将本法名称改为“经营性国有资产法”。

有的部门建议，应明确规定将事业单位中实行企业化管理的单位和事业单位设立的企业纳入本法调整。有的部门建议，在草案第二条经营性国有资产的定义中增加“以及其他经营性国有资产”。

（二）关于国有资产监督管理体制

草案第十条规定，政府国有资产监督管理机构以及政府授权的其他部门和机构，按照本级人民政府的授权，对国家出资企业履行出资人职责。

有的部门提出，按照上述规定，允许政府授权国有资产监督管理机构以外的部门、机构对国家出资企业履行出资人职责，同时没有对政企不分的单位提出改革要求，容易产生国有资产多头管理的弊端。建议在本法中明确规定由国资委统一负责经营性国有资产的监管，对目前没有划归国资委监管的企业，可以通过由国资委委托有关部门监管的方式处理。

有的企业提出，目前本省国有资产管理体制仍没有理顺，省国资委、财政厅、经委等部门都负有国资监管职责，企业各类报表要分别向这几个部门报送，一项资产评估要由财政部门确定评估机构，评估结果要报国资委备案或核准，影响企业经营效率。国有资产法应当体现一家监管、减少审批环节的精神。国资委作为履行出资人职责的机构，其审批事项应在所监管企业的章程中载明。

有的部门提出，草案第十条的规定比较灵活，可以适应各地不同的实际情况。

有的部门建议，对上下级国资委之间的指导、监督关系作出规定。

有的企业提出，实践中，国资委对企业的制度建设问题重视不够，公司章程对股东会、董事会的职权没有明确记载，国资委审批事项过多，董事会没有发挥应有的作用。国资委作为履行出资人职责的机构，其职能和定位应当明确，不应履行行政管理职能，而应按照公司法的规定，对其履行出资人职责的企业行使选择管理者、参与重大决策、资产收益等权利。

（三）其他意见

有的部门、企业提出，草案第二十五条关于董事长和经理不得由同一人担任的规定，难以适应企业的不同情况，与实践中的做法不符，建议规定得灵活一些。

有的部门提出，无形资产是企业重要资产，由于其评估缺乏合理的标准，在国有企业改制时不评估或者低估的情况较多，建议在草案中对无形资产评估问题作出更明确具体的规定。

有的部门、企业提出，由本企业委托评估机构很难保证评估结果的公平、公正。建议增加规定，由本级政府或者国有资产监督管理机构聘请评估机构。

国有资产法(草案)四川调研情况简报

4月上旬,法工委国有资产法(草案)调研组赴四川调研,了解四川省国有资产管理情况,听取地方有关部门、企业对国有资产法(草案)的意见。现将有关情况和主要意见简报如下:

一、四川省国有资产管理的有关情况

(一)国有资产管理体制

按照党的十六大精神和国务院颁布的《企业国有资产监督管理暂行条例》的规定,四川省国资委于2004年8月成立,根据省政府的授权对省属24家国家出资企业直接履行出资人职责;同时,根据省政府的决定,对文化、交通等特定行业的经营性国有资产,由国资委委托相关主管部门履行出资人职责。目前,四川省国资委已经与省委宣传部签订了《国有资产委托管理责任书》,省委宣传部在委托的范围内,对文化系统的省属国家出资企业履行出资人职责,行使参与重大事项决策、选择管理者等出资人权利;省国资委代表政府向委托管理的企业派驻监事会或者监事,对企业负责人进行经营业绩考核并决定其薪酬标准。由于四川省交通建设的投融资体制没有完全理顺,省国资委与省交通厅尚未签订委托管理协议,四川省高速公路建设开发总公司和四川港航公司等交通企业仍由省交通厅履行出资人职责,但上述企业中副厅级以上负责人的任命按照省政府的要求需经国资委批准。对于其他一些特殊行业的省属企业,省政府没有授权由国资委统一履行出资人职责,仍按原体制由有关主管部门管理,如金融企业仍由财政厅履行出资人职责。

四川省21个省辖市(州)一级政府中,除资阳、甘孜、巴中三个市(州)由于经营性国有资产较少,没有单独设立国资委,而是在市(州)经委(其中甘孜在州财政局)挂国有资产监督管理机构牌子,实行“一套人马,两块牌子”外,其他18个市(州)都设立了作为政府特设机构的国资委。各市(州)国资委根据本级人民政府授权,对市(州)属国家出资企业履行出资人职责,但具体管理范围并不完全相同。成都市国资委根据市政府授权,对市属全部22家国家出资企业(包括金融企业如成都市商业银行,文化企业如成都传媒集团)履行出资人职责,市政府没有授权其他部门或者机构对市属企业履行出资人职责。攀枝花市国资委对市属17家国家出资企业(其中8家企业正在进行改制,改制完成后国有资本将全部退出)履行出资人职责,所监管企业的总资产大约10亿元,占全市经营性国有资产的三分之一;其他的市属企业,市政府授权有关主管部门或者机构履行出资人职责,如市商业银行、市交通投资开发公司、市建设投资公司、煤气公司、红格温泉开发建设公司等企业,分别由市财政局、交通局、规划和建设局、城市管理局、红格温泉管委会等部门和机构履行出资人职责。同时,攀枝花市国资委根据市委授权,对由其他部门或者机构履行出资人职责的企业的负责人实施管理,并参与上述企业重大资产的处置活动。

四川省县(区)一级政府国有资产的监管体制,主要有以下三种模式:一是单独设立国资委或在财政局下设国资办,代表本级政府对国家出资企业履行出资人职责;二是由财政局直接履行出资人职责;三是授权国有资产经营公司履行出资人职责。如成都市下辖的20个县(区)中,有3个单独设立了国资委,其余17个在财政局下设国资办,作为财政局的二级机构。

（二）国资监管机构履行出资人职责的主要事项

四川省和有关市的国资委介绍，省、市国资委依照公司法、企业国有资产监督管理暂行条例等法律、行政法规和国务院国资委的规定，已经建立起比较规范的履行出资人职责的制度。

在企业负责人管理方面，部分重点企业的董事长或总经理由地方党委组织部门管理，由省、市政府直接任免或者建议任免，其他企业的负责人由国资委任免或者建议任免。国资委统一对由其履行出资人职责的国家出资企业的负责人（包括省、市政府直接任命的）的经营业绩进行考核，并根据考核结果和事先约定的薪酬标准决定其报酬和奖惩。

在企业重大事项管理方面，企业章程的制定与修改、企业战略规划、重大投资、对外担保、重大资产转让、增加或者减少注册资本、发行债券、产权转让、合并、分立、解散、破产等重大事项，由企业按照规定报国资委决定或者备案。重要国家出资企业的改制、合并、分立、解散、破产等事项，由国资委审核后，报本级人民政府批准。此外，省、市国资委还负责经营性国有资产的资产统计、清产核资、产权登记、资产评估等国有资产基础管理工作。

省、市国资委分别代表本级政府履行出资人职责，两级政府国资委之间是指导监督关系。

二、对国有资产法（草案）的主要意见和建议

有关部门、企业普遍认为，制定国有资产法，对于规范国有资产的监督和管理，维护国有资产权益，防止国有资产流失，很有必要。草案在总结实践经验基础上所作的规定，针对性较强，符合实际，基本可行，建议进一步修改后尽快出台。同时，提出以下主要意见：

（一）关于本法的名称和适用范围

1. 有的企业提出，本法的名称与调整范围不符，建议研究修改。有的企业建议将本法的名称修改为企业国有资产法。

2. 一些部门和企业提出，行政事业单位出资设立企业所形成的资产，是否属于经营性国有资产，企业化运营的事业单位受不受本法调整，建议予以明确。

3. 有的部门、企业提出，本法针对国家出资企业所作的各项规范，对国家出资企业出资设立的子企业是否适用、如何适用，应当作出明确规定。有的部门提出，国家出资企业的子企业（全资或者控股）的资产主要是由国有资本投资形成的，为防止国家出资企业利用其子企业转移财产造成国有资产流失，应将国家出资企业的子企业也纳入本法的调整范围。一些部门和企业提出，目前国资委针对国家出资企业"空壳化"、业务下移子企业的情况，对国家出资企业的重要子企业的重大投资、重大担保、股权转让等事项要求报国资委审核或者备案，是必要的。这是解决当前国家出资企业治理机制不完善问题的有效措施。但是，从长远看，对国家出资企业出资设立的子企业，应由国家出资企业依照公司法等法律的规定对其行使出资人权利。有的企业提出，草案第五章关于国有资产出资人权益的重大事项的各项规定，国家出资企业的子企业应当参照适用，实践中国家出资企业也基本上是按照上述规则对其子企业实施管理的。

（二）关于经营性国有资产的界定

草案第二条规定，本法所称经营性国有资产，是指国家对企业的出资和由此形成的权益。

有的部门提出，这一规定不够全面。经营性国有资产不仅包括国家对企业出资形成的权益，还应包括"依法属于国家所有的其他权益"，如国家拨付给企业的不作为投资的专项拨款等不列入所有者权益但由企业管理使用的具有权益性质的资金。一些部门和企业提出，草案将经营性国有资产界定为基于国家对企业的出资所形成的权益，是准确的。国家作为企业出资人所应享有的全部所有者权益，既包括企业实收资本中的国家出资部分所形成的所有者权益，也包括由资本公积、盈余公积以及未分配利润中国家按其出资比例应享有的所有者权益。国家对企业的其他拨款，如果不转为国家出资人的相应所有者权益，其性质只能是国家对企业所享有的债权，国家应作为债权人依照合同法的规定行使债权权利；而不能凭借债权行使出资人权利。

（三）关于国有资产监督管理体制

1. 草案第四条规定，关系国民经济命脉和国家安全的大型国有企业，重要基础设施和重要自然资源等领域的国家出资企业，由国务院代表国家履行出资人职责；其他的国家出资企业，由地方政府代表国家履行出资人职责。有的部门提出，规定重要基础设施和重要自然资源等领域的国家出资企业都由国务院代表国家履行出资人职责，不大符合实际。比如，高速公路属于重要基础设施，但目前都是由地方人民政府履行出资人职责的。

2. 草案第十条规定，政府国有资产监督管理机构以及政府授权的其他部门、机构，代表本级政府对国家出资企业履行出资人职责。有的部门提出，这一规定符合我国目前实际，也比较灵活，如高速公路建设的投融资体制具有特殊性，由行业主管部门履行出资人职责有利于理顺高速公路的投融资体制，促进高速公路事业的发展。有的部门提出，这一规定容易造成国有资产多头管理，不利于集中统一的国有资产监督管理体制的建立，建议由各级国有资产监督管理机构统一履行出资人职责。

3. 有的部门提出，国资委作为"政府特设机构"，既代表政府履行出资人职责，同时承担监管国有资产的职责，建议草案对国资委的这一性质和定位予以明确。有的企业提出，国资委作为履行出资人职责的机构，目前还承担着相当多的社会公共管理职能，其具体职责范围究竟是什么,建议草案加以明确。

4. 有的部门提出,没有行业主管部门的参与,仅靠国资委一家是管不好国有资产的。建议对行业主管部门在国有资产监管方面的职责作出规定。

(四)其他意见

1. 有的部门建议,在草案第八条中明确规定由国资委统一负责国有资产的基础管理工作,以避免政出多门。

2. 一些部门和企业提出,草案第二十五条关于国有独资公司董事长和经理不得由同一人担任的规定,难以适应企业的不同情况。地方很多国家出资企业规模很小,有些投资公司或资产经营公司只有几十个人甚至十几个人,经营活动大多都要按照地方政府的安排进行,自主权不大,分别设立董事长和经理没有实际意义。同时,多设一个职位就会多支付一份薪酬,增加企业的成本,建议草案规定得灵活一些。

3. 有的部门建议,将国有独资企业改为国有独资公司也作为本法所规定的企业改制的情形之一。有的部门建议,对国有独资企业、国有独资公司改制为非国有控股公司或者国有控股公司改制为非国有控股公司,规定更加严格的审核程序。

4. 有的部门建议,删除草案第五十三条关于国有资产转让时受让方出价或者报价低于最低转让价格的,经批准可以降低转让价格的规定。

5. 草案第六十一条规定,财政部门负责国有资本经营预算草案的具体编制工作,履行出资人职责的机构向财政部门提出国有资本经营预算建议草案。有的部门建议,修改为国有资本经营预算草案由国资委负责具体编制,由财政部门汇总。有的部门提出,这一条的表述很准确,与预算法的规定是一致的,不必修改。

6. 有的部门建议增加规定,违反本法规定的国有资产转让行为以及与关联方交易的行为无效。

国有资产法(草案)上海、广东调研情况简报

4月9日至16日,国有资产法(草案)调研组赴上海、广东调研,了解地方国有资产管理的情况,听取有关部门和企业对国有资产法(草案)的意见。现将有关情况简报如下:

一、上海市、广东省国有资产管理的有关情况

(一)国有资产管理体制

上海市国资委成立于2003年,目前根据市政府的授权对47家国家出资企业履行出资人职责,下属企业4782户,资产总额11000亿元,净资产3200亿元;同时对文化、教育、卫生、体育、市政工程等领域的经营性国有资产,由市国资委委托相关主管部门履行出资人职责,这些部门主要有市委宣传部(对文化领域国有资产履行出资人职责,包括文广集团、解放报业集团等,净资产共300亿)、市经委(履行出资人职责的企业有公投集团、商投集团等,净资产共130亿)、市发改委(履行出资人职责的企业有上海市投资咨询公司、久联集团、上海市创业投资公司),以及市教委、市政府机关事务管理局、世博会事务协调局、市政工程管理局、市体育局等,委托监管的企业共1398户,资产总额460亿元。市国资委与这些部门签订委托监管协议书,委托其对相关市属企业履行出资人职责,行使参与重大决策、选择管理者等权利,并承担国

有资产保值增值责任。上海市 19 个区(县)一级政府,均成立了国资委。

广东省国资委成立于 2004 年,目前根据省政府的授权对 26 家企业履行出资人职责,下属企业共 1552 户,资产总额 4316 亿元,净资产 1297 亿元。其他企业仍按原体制由有关主管部门管理,如财政厅、文化厅、广电局、交通厅、教育厅等,分别对金融、出版传媒、广播电视、交通、教育等领域的企业进行管理。由有关主管部门管理的企业共计 411 户,资产总额 371 亿元,净资产 123 亿元,这些企业由财政部门负责国有资产的统计、评估、转让等事项的管理,企业负责人根据管理权限由政府或者有关主管部门任免,企业重大事项由有关主管部门决定。

广东省 21 个市一级政府中,有 19 个市成立了国资委,未成立国资委的茂名、梅州两市,由财政部门对国家出资企业履行出资人职责。广州市国资委履行出资人职责的企业共 31 家,下属企业共 1400 余户,资产总额 2300 亿元,净资产 600 亿元,国资委履行出资人职责的国有资产约占国有资产总额的 2/3。地铁、港口、交通、高速公路、文化等领域的国有资产仍由有关主管部门管理,与省政府的管理模式基本相同。深圳市国资委履行出资人职责的企业共 24 家,下属企业共 1400 余户,资产总额 2000 亿元,净资产 700 亿元。文化领域的报业、广电、出版发行三个集团由市国资委委托市委宣传部履行出资人职责,电影院、音乐厅等企业改制后,已并入市国资委履行出资人职责的企业深圳市投资控股有限公司,为其下属企业。

(二)国资监管机构履行出资人职责的主要事项

目前,上海市、广东省、广州市和深圳市的国资委在履行出资人职责方面,已经建立了比较规范的制度,基本做法较为一致。

在企业负责人管理方面,由国资委履行出资人职责的企业中,除部分重点企业的董事长、总经理由省、市政府直接任免外,其他企业的负责人由国资委任免或者建议任免。企业负责人的考核、奖惩以及薪酬标准的确定,则不区分任免权限,统一由国资委负责。

在企业重大事项管理方面,企业的章程修订、战略规划、投资、担保、资产转让、增减注册资本、发行债券、合并、分立、解散、破产等重大事项,由企业按照规定报国资委决定或备案。重要企业的改制、合并、分立、破产等事项,由国资委审核后,报本级人民政府批准。此外,国资委还负责经营性国有资产的产权登记、清产核资、资产统计、资产评估管理等国有资产基础管理工作。

在国有资本收益管理方面,上海市和广东省都较早开展了国有资本收益收取。上海市规定,国家出资企业的税后净利润在弥补以前年度亏损、提取法定公积金后,国有独资企业和国有独资公司按照市国资委核定的比例收缴,国有控股公司和参股公司按照股东会确定的分配比例收缴。广东省规定,国家出资企业的利润按20%上缴,除国有股权转让收益缴入省国资委专户外,其他国有资产收益缴入省财政专户;省财政每年从专户中按50%的比例安排资金,合并到省国资委专户中,专项用于国有企业改革与发展支出及国有资本再投入。深圳市规定,国有独资企业、国有独资公司应当上缴利润比例原则上不得低于当年度企业净利润的30%,具体比例由市国资委根据实际情况确定;国有控股公司每年向全体股东分配的利润,原则上不得低于当年度净利润的40%;深圳市国资委负责收缴国有资产收益,并对其支出进行管理。

(三)国资监管机构作为上市公司的股东履行出资人职责的情况

目前,上海市国资委和深圳市国资委有登记为上市公司股东的情况。如上海市国资委直接持有上海国际港务(集团)股份有限公司44.23%的股份。深圳市国资委直接持有深圳市农产品股份有限公司25%的股份。有关企业的同志提出,国资委对上市公司履行出资人职责的有些具体做法与证券市场的监管要求不一致，如国资委要求上市公司报送月度财务会计报告以及在每年3月底前报送年度财务会计报告，而有关证券市场监管的法律、法规并不要求上市公司报送月度财务会计报告，年度财务会计报告在4月底前公告即可，国资委的上述做法容易导致上市公司内幕信息提前泄露和内幕交易。

据深圳市国资委和有关企业的同志介绍，深圳市国资委对上市公司履行出资人职责的主要做法是，由其委派到上市公司的董事作为“产权代表”，公司董事会在决定重大事项前，“产权代表”事先就该事项报国资委批准，并按照国资委的“批复”发表意见、行使表决权；对于提交公司股东会讨论的事项，国资委一般也委派“产权代表”作为股东代表按照其指示发表意见、行使表决权。有的同志提出，上市公司大股东提名的董事当选后，应代表整个公司的利益，而不应仅代表大股东的利益。国资委要求“产权代表”事先将董事会、股东会表决事项报国资委，并由国资委向“产权代表”作出“批复”的做法，与公司法关于董事对公司负有忠实、勤勉义务的规定可能会产生冲突。

二、对国有资产法（草案）的主要意见和建议

有关部门、企业普遍认为，制定国有资产法，对于加强国有资产的监督管理，保护国有资产权益，防止国有资产流失，十分必要。草案的总体思路明确，结构较为合理，内容基本可行，建议尽快出台。同时，提出以下主要意见：

（一）关于本法的名称和适用范围

1. 有的部门提出，本法名称与调整范围不一致，建议将本法名称修改为“经营性国有资产法”；有的企业建议改为“企业国有资产法”。

2. 一些部门、企业建议，将本法的适用范围扩大到企业化经营的事业单位以及事业单位出资设立的企业。

3. 有的部门提出，实践中很多大型国家出资企业都是集团总部，主要资产和经营活动都集中在子企业，只有将国家出资企业的子企业纳入本法调整，本法关于保护国有资产安全的制度规定才有实际意义。一些企业的同志提出，国家出资企业的子企业，应由国家出资企业按公司法规定行使出资人权利，而不宜由履行出资人职责的机构直接决定其负责人任免和重大事项，否则难以分清保值增值责任。

（二）关于经营性国有资产的定义

草案第二条规定，本法所称经营性国有资产，是指国家对企业的出资和由此形成的权益。有的企业提出，按照这一规定，国有资产既包括国家对企业的出资，也包括国家对企业的出资所形成的权益，前者是实物资产的概念，似不应属本法调整。有的企业建议将经营性国有资产的定义修改为“国家对企业的出资所形成的权益”。

（三）关于国有资产监督管理体制

1. 草案第四条规定：重要基础设施和重要自然资源等领域的国家出资企业，由国务院代表国家履行出资人职责。有的部门、企业提出，当前不少重要基础设施和重要资源领域的国家出资企业是由地方政府出资设立并履行出资人职责的，建议对草案的上述规定再作研究。

2. 草案第十条规定，政府国有资产监督管理机构以及政府授权的其他部门、机构，代表本级政府对国家出资企业履行出资人职责。有的部门、企业的同志提出，规定政府可以授权多个部门履行出资人职责，容易造成国有资产的多头管理，导致政企不分、政资不分，建议明确由国有资产监督管理机构统一履行出资人职责。

（四）其他意见

1. 有的部门建议，在本法规定的企业改制定义中增加国有独资企业改为国有独资公司。

2. 草案第三十六条中规定，国家出资企业不得为不具备清偿能力的他人提供担保。一些部门、企业提出，是否具备清偿能力很难判断，这一规定在实践中难以操作，建议修改。

3. 有的部门、企业提出，对于企业与关联方之间没有利益冲突、符合商业惯例的交易，限制不宜过于严格。建议对草案第四十三条的规定再作研究。

4. 草案第四十四条规定，公司董事会对与关联方的交易作出决议时，该交易涉及的董事不得行使表决权，也不得代理其他董事行使表决权。有的企业建议改为“该交易涉及的董事应当回避”。

5. 一些企业提出，按照草案第五十二条、第五十三条的规定，国有资产转让都要评估和进场交易，程序过于繁琐，可能影响企业的经营效率，资产评估在实践中作用有限，进场交易在有些情况下不利于企业开展战略合作，建议增加关于资产评估和进场交易的豁免规定。

企业国有资产法(草案)吉林调研情况简报

7月中旬,法律委员会负责同志就企业国有资产法草案有关问题赴吉林调研,听取吉林省和长春市有关部门、企业的意见。现将有关情况简报如下:

一、吉林省企业国有资产管理的有关情况

吉林省国资委成立于2004年,根据省政府的授权,目前对19户省属国家出资企业履行出资人职责。其中,国有独资的企业6户,控股企业7户,参股企业6户。截至2007年底,19户企业的总资产为618亿元,净资产240亿元,企业国有资产总量为139亿元。其他的省属国家出资企业,省政府授权财政厅以及交通厅、水利厅、司法厅、煤炭局、旅游局、粮食局等行业主管部门履行出资人职责;文化产业的企业,由省委宣传部负责管理。目前,由国资委以外的部门履行出资人职责的省属企业有404户,总资产130亿元,净资产44亿元。

吉林省9个市(州)一级政府中,长春、吉林和延边三个市(州)设立了独立的国有资产监督管理委员会,其余6个市(州)由财政部门对国家出资企业履行出资人职责。长春市国资委成立于2003年,目前履行出资人职责的企业20户(其中国有独资和控股企业18户,参股企业2户),总资产411亿元,净资产148亿元。除国资委外,长春市政府还

授权其他一些部门和机构对市属国家出资企业履行出资人职责，如长春市融兴投资发展有限公司、公路客运站分别由市财政局、交通局履行出资人职责，长春市各开发区内的国家出资企业由开发区管委会履行出资人职责。

二、对企业国有资产法(草案二次审议稿)的意见

参加座谈的吉林省和长春市有关部门、企业的同志普遍认为，草案二次审议稿总体上体现了党的十六大、十七大精神，反映了五年来我国企业国有资产管理体制改革发展的经验，切合实际，针对性较强，基本可行。同时，提出以下主要修改意见：

(一)关于企业国有资产的定义

草案二次审议稿第二条将企业国有资产定义为“国家对企业各种形式的出资所形成的权益”。

一些部门和企业提出，草案二次审议稿关于企业国有资产的定义是准确的，国家对其出资企业除了享有因出资所形成的权益外，没有其他权益，不宜再加上“依法属于国家所有的其他权益”。有的部门和企业提出，这一定义还不够全面，企业国有资产除了国家对企业的出资所形成的权益外，还应包括“依法属于国家所有的其他权益”，如应属于国家所有的企业名称、商誉等无形资产，以及因税收返还、工效挂钩工资提取节余和国家担保贷款所形成的企业国有资产等。有的企业提出，在定义企业国有资产时，草案二次审议稿的定义严格讲是够用的，但是担心实践中被解释窄了，范围可以适当地扩大一些，以更好地保护国有资产，防止流失。

(二)关于国有资产监督管理体制

草案二次审议稿第十一条第二款规定，国务院和地方人民政府根据需要，可以授权其他部门、机构代表本级政府对国家出资企业履行出

资人职责。

有的部门提出，为实现政企分开、政府社会公共管理职能与出资人职能分开的改革目的，原则上应由一个机构统一履行出资人职责，草案应体现国有资产监管机构履行出资人职责的主体地位，建议将这一款修改为：政府可以授权其他部门、机构对“特定领域的国家出资企业”履行出资人职责。有的部门建议删去这一款。有的企业提出，履行出资人职责的机构不能仅是国资委一家，国家出资企业分布的行业很广，都由一个机构管，是管不过来的。

有的部门建议增加规定，上级国有资产监督管理机构对下级国有资产监督管理机构的工作进行监督指导。

（三）关于国有独资、控股公司的董事长兼任经理问题

草案二次审议稿第二十四条规定，未经履行出资人职责的机构或者股东会、股东大会同意，国有独资公司、国有控股公司的董事长不得兼任经理。

有的部门和企业提出，这一规定既反映了完善企业法人治理结构的要求，又符合实际需要，有一定的灵活性，赞同这一规定。有的部门提出，公司法已对国有独资公司的董事兼任经理问题作了规定，且国有独资、控股企业的董事长兼任经理，实践中都是获得履行出资人职责的机构或者股东会、股东大会同意的，因此，对这个问题本法可以不作规定。

有的企业提出，对董事长兼任经理应当进行严格限制，否则公司法关于董事会和经理相互制衡的规定就失去了意义。有的企业提出，对国家出资企业的董事长兼任经理应予禁止。

（四）关于对国家出资企业的子企业的管理

草案二次审议稿第三十七条规定，国家出资企业对其所出资企业的重大事项参照本法第五章“关系国有资产出资人权益的重大事项”

的规定履行出资人职责,具体办法由国务院规定。

有些部门提出,目前很多国家出资企业都是企业集团,主要经营业务都在子企业。同时,国有独资企业和国有控股企业的子企业的资产主要是由国家资本投资形成的。为防止国有资产流失,履行出资人职责的机构对国有独资、控股企业的子企业也要进行监管,这些子企业的一些重大事项,应当报履行出资人职责的机构决定或者备案。

参加座谈会的多数企业提出,履行出资人职责的机构不是国家出资企业的子企业的出资人,不应越级直接对国家出资企业的子企业进行管理,国家出资企业的子企业应由其出资人履行出资人职责。有的企业提出,国资监管机构应当通过完善企业法人治理结构,加强对董事、监事、高级管理人员的监督,实现对其所出资企业的子企业的监管,不应当直接审批决定其所出资企业的子企业的有关事项。有的企业提出,履行出资人职责的机构虽不应通过审批决定有关事项对国家出资企业的子企业进行管理,但应有权对国家出资企业的子企业进行监督,监督方式主要是对子企业违法、违规造成国有资产损失的行为进行查处。

一些企业提出,草案二次审议稿第五章规定的关系国有资产出资人权益的重大事项的决策程序和运作规则,对维护国有资产权益是非常必要的,应适用于国家出资企业对其子企业履行出资人职责,目前实践中也是这样操作的,赞同草案二次审议稿这一规定。有的企业提出,国家出资企业如何参照本法第五章规定对其子企业进行管理,应由其自己决定,建议删除这一条中关于由国务院制定具体办法的规定。

有的企业建议将这一条中的"国家出资企业"修改为"国有独资企业、国有独资公司和国有控股公司"。

(五)关于企业国有资产向本企业管理者转让

草案二次审议稿第五十五条对企业国有资产向本企业董事、监事、高级管理人员及其他利害关系人转让问题作出了规定。

有的部门和企业提出，管理层持股有利于增强管理层的责任心，建立企业内部激励机制，促进企业发展，应予以鼓励。但对企业国有资产向管理层转让应规定严格的程序，以防止国有资产流失。有的部门提出，对企业国有资产向管理层转让应区分行业、企业规模等因素进行适当限制，大型国家出资企业的股权不应允许向管理层转让。

有的部门建议将这一条中的“本企业的董事、监事、高级管理人员或者其近亲属，或者这些人员所有或者实际控制的企业”修改为“本企业的关联方”。

（六）其他意见

1. 有的部门建议，将草案二次审议稿第二十六条中履行出资人职责的机构“确定国家出资企业管理者的薪酬标准”的规定，修改为“制定国家出资企业管理者的薪酬管理办法”。有的企业提出，对国家出资企业管理者的薪酬，应按照市场化的原则确定。

2. 有的企业建议对草案二次审议稿第二十九条中的“重大投资”、“大额担保”作出界定，以便于操作。

3. 有的企业提出，草案二次审议稿第三十四条关于企业发行债券、投资须经政府有关部门审批的规定，是对所有企业的普遍要求，没有必要在本法中规定。

4. 有的部门提出，国有控股公司改为非国有控股公司，只涉及公司股权的变更，不属于企业改制，建议删去草案二次审议稿第三十八条第三项。

5. 有的部门提出，草案二次审议稿第七十一条关于当事人恶意串通，从事关联方交易、国有资产转让等活动，该交易行为无效的规定很有必要，但实践中很难操作，建议对这一问题再作研究。